천재들의 초상

"이 소설은 사실을 기반으로 하였으나
픽션을 가미한 창작적 재구성임을 밝힙니다"

천재들의 초상

김채령 장편소설

작가

차례

1
날개를 펴다

―――――――――――――――― 그가 내게 노트를 건넸다. 두께가 있어 얼핏 작은 책처럼 보이는 하드커버노트였다. 푸르스름한 겉표지는 빛이 바래 세월의 흔적이 엿보였다. 조심스레 노트의 첫 장을 펼치자 획이 분명하고 날카로운 글씨체가 눈에 들어왔다.

'나는 이상을 용서할 수 없었다.'

범상치 않은 첫 문장에 의문이 꼬리를 매달고 솟구쳤다. 그의 설명을 기다렸지만 그는 할 말을 입에 문 채 정물화처럼 서 있을 뿐 쉽게 말을 꺼내지 못했다. 서늘한 느낌을 지우지 못하고 노트의 이곳저곳을 살펴보고 있을 때 그가 내뱉은 말은 뜻밖이었다.

"그건 위험한 노트입니다. 말하자면 미끼인 셈이죠."

무슨 뜻인지 알 수 없어 멍해진 틈을 타 그가 재빠르게 덧붙였다.

"주리 씨를 더 알고 싶었어요."

그 말의 파장에 가슴이 철렁였다. 나는 시선을 떨구었다. 어쩐지 그를 마주 볼 자신이 없었다.

"월든의 차디찬 눈밭에 평온하게 앉아 있는 모습을 보며 이 세상에 나와 같은 사람이 있구나, 나와 같은 곳을 바라보는 사람이 있구나, 놀랍고 반가웠어요. 나 역시 처음 그곳에 갔을 때 주리 씨가 앉았던 곳에 몸을 쭈그리고 소로가 바라보았을 월든 호수의 풍경을 오래도록 보았으니까요."

그는 감정을 억누르려는 듯 목소리가 몹시 낮고 떨렸다.

"아까 월든에서 돌아와 주리 씨를 집 앞에 내려주었지만 왠지 집으로 돌아가기 싫었습니다. 그래서 이 근처 커피숍에 한동안 앉아 있었어요."

그의 입에서 나온 허연 입김이 바람을 타고 순식간에 밤하늘로 흩어졌다. 검정색 코트 속에 입은 스웨터의 목

부분이 늘어나 맨살이 드러났다. 서른 후반의 나이였음에도 그가 모성을 갈구하며 칭얼대는 십 대 소년 같다는 생각이 들었다.

나는 등이 시려 바람이 파고들지 못하도록 옷깃을 여몄다. 그는 어두운 허공에 시선을 둔 채 다시 말을 이었다.

"사실, 어처구니없는 행동이었어요. 하지만 커피숍을 나와도 몸이 제 의지와 다르게 움직이더군요. 어떻게든 걸음을 돌려서 주리 씨에게 다시 와야 했어요. 합리적인 방법을 찾아서 말이죠. 그래서 찾아낸 게 그 노트입니다."

그의 고백에 발목이 붙잡힌 듯한 느낌이 들었다. 우리 사이에 잠시 어색한 기류가 흘렀다. 나는 적당히 대꾸할 말을 찾지 못해 어설픈 웃음만 지었다.

그는 내 웃음에 마음이 놓였는지 얼굴이 한결 편안해 보였다.

"얼마 전, 미국인 대학 동창을 오랜만에 만났어요. 보스턴을 떠나 뉴욕에서 살고 있는 친구였죠. 그 친구의 도서관 사랑은 뉴욕에서도 여전했던 모양입니다."

나는 그의 말에 집중하고 있음을 보여주려고 가끔씩 고개를 끄덕였다.

"미국의 도서관은 기증 받은 책들로 늘 넘칩니다. 독거 노인이 세상을 떠나면 서가의 책들이 도서관으로 흘러 들어온다는군요. 그 책들은 박스에 담겨 도서관 창고에 쌓여 있다가 조금씩 분류돼요. 소장할 것을 제외한 나머지는 1달러에 판매가 되고요. 가끔 부주의한 사서들 때문에 거기에 희귀본이 섞여 판매되기도 하나 봐요. 덕분에 그 친구는 보물 같은 책들을 건졌다고 종종 자랑하곤 했어요. 허먼 멜빌의 소설《모비딕》초판본을 손에 넣기도 했고 헨리 데이비드 소로의 연설문이 담긴 1900년대 초반의 책을 건진 적도 있대요. 그 노트도 그렇게 친구의 손에 들어왔습니다. 달랑 1달러에 말이죠. 친구가 건넨 노트에 쓰인 글을 몇 줄 읽었을 때 깜짝 놀랐습니다. 노트는 이상의 부인이었던 L의 것이었어요. L은 뉴욕에서 말년을 보냈으니 사후에 노트가 도서관으로 흘러 들어오지 않았나 싶어요. 나는 평소에 친구가 탐내던 책 한 권과 그 노트를 맞바꿨습니다."

L의 숨결이 닿았던 노트가 길고도 먼 여정을 거쳐 내 손에 들어온 게 신기하기만 했다. 문득 노트에 어떤 내용이 담겨 있을지 궁금했다.

"천천히 읽어봐요. 이 노트가 주리 씨에게도 영감을 줄 수 있기 바랍니다."

그리 밝지 않은 현관 불빛이었지만 발그레해진 그의 얼굴에 희미한 웃음이 번지는 것이 보였다.

그는 푸른색 노트 한 권과 알 수 없는 웃음을 남긴 채 뒤돌아섰다. 거친 밤바람에 그의 검정색 코트 자락이 펄럭였다.

방으로 돌아오자마자 나는 그에게 받은 푸른색 노트를 책상 위에 놓고 침대에 무너지듯 누웠다. 졸음이 몰려왔지만 쉽게 잠들 수 없었다. 쉬지 않고 부는 바람에 창문이 덜컹거렸고 신경이 곤두섰다. 그 소리는 잊을 만하면 다시 살아나서 잠을 방해했다. 그러다 설핏 잠이 들었을 때 창문 두드리는 소리가 들렸다. 먼 곳에서부터 시작된 소리가 점점 가까워지고 있었다.

겁에 질린 나는 소리 나는 쪽을 쳐다보았다. 놀랍게도 창문을 두드리는 사람은 그였다. 목이 늘어난 낡은 스웨터 차림의 그가 내 방의 창문을 두드리고 있었다. 한 손에는 커다란 가방을 들고서. 그 가방 속에 무엇이 담겨 있는지 가늠조차 되지 않았다.

영하의 날씨에 세찬 바람마저 부는데 그를 밖에 세워 둘 수는 없었다. 급히 몸을 일으켜 그에게 가려고 했지만 어찌된 일인지 몸이 바닥에 착 달라붙어 꼼짝하지 않았다. 몸을 움직이려 기를 써도 소용없는 짓이었다. 그 순간, 몸이 어디론가 빨려 들어갔다. 캄캄한 소용돌이 속이었다. 아무리 발버둥을 쳐도 손가락 하나 마음대로 움직일 수 없었다. 그렇게 소용돌이에 휘말려 한참을 추락하다가 도착한 곳은 하늘도 땅도 없이 그저 하얀 빛만이 가득 들어찬 눈부신 공간이었다. 나는 날갯짓하듯 두 팔을 저으며 그 공간을 날아다니다 번쩍 눈을 떴다. 허공에서 내 두 팔이 허우적거리고 있었다. 땀을 흘렸는지 베개가 축축했다.

고개를 돌려 창문을 바라보았다. 어둠 속에서 창문의 윤곽이 어렴풋이 드러났다. 여전히 바람은 창문을 세차게 흔들고 있었다. 다행이다, 나는 혼잣말을 하며 돌아누웠다. 또다시 인연이나 운명이라는 이름으로 포장된 환상에 사기 당할 수 없는 노릇이었다. 하지만 어쩐지 가슴 한구석이 저렸다. 그를 내심 반기면서도 밀어내는 이중

성에 나는 밤새 몸을 뒤척였다.

그때는 정말 몰랐다. 몇 대에 걸쳐 살던 집을 떠나 낯선 이방의 땅에서 만난 한 남자 때문에 내 앞날이 전혀 예측하지 못한 방향으로 흘러갈 것임을. 사랑의 기쁨이 크면 클수록 사랑의 슬픔도 심장을 녹일 만큼 크다는 것을.

대학을 졸업한 후, 나는 작은 출판사에 취직해 번역 일을 하고 있었다. 대학생 때 아르바이트로 시작한 번역이었지만 그 일을 하면 할수록 배움에 대한 갈망이 커졌다. 그 나라의 문화를 이해해야 정확한 번역이 나올 텐데 나는 겨우 책이나 영상을 통해서 외국의 문화를 체험했다. 아버지는 내게 유학을 다녀오라고 했지만 집을 떠나 혼자 산다는 건 상상할 수 없었다. 그러나 보이지 않는 힘이 내 등을 떠밀었다.

좋아하는 감정만으로 덜컥 해버린 결혼이 고통만을 남긴 채 실패로 끝나자 폭풍이 몰아쳤다. 앞으로 어떻게 살지 막막했다. 여러 충고가 있었지만 현실에 맞서 앞날을 헤쳐 나갈 용기가 없었다. 숨도 크게 못 쉬고 방황하는 나의 삼십 대가 막바지를 향해 가고 있을 무렵이었다.

그날도 여느 때처럼 집 근처에 있는 카페의 구석진 곳에 앉아 있었다. 테이블 위에는 번역물이 놓여 있었지만 일은 시작도 못하고 커피만 몇 잔째 연거푸 마시는 중이었다. 그때 처음 듣는 노래의 가사가 귓속을 파고들었다.

한밤중에 검은 새가 지저귀네요
부러진 날개로 비행을 배우고 있죠
검은 새는 일생 동안
날아오를 순간만을 기다려왔어요
날아오를 순간만을 기다려왔어요
날아오를 순간만을 기다려왔어요

검은 새가 날아가네요, 검은 새가 날아가네요
어둡고 캄캄한 밤의 빛 속으로

읊조리듯 나지막이 반복되는 노랫말과 불협화음의 코드가 묘하게 줄타기를 하고 있었다. 검은 새 한 마리가 어둠을 뚫고 날아올랐다. 부러진 날개로, 일생 동안 날아오를 순간만을 기다리던 새였다.

먹먹한 심정으로 그 노래에 집중하고 있을 때 사막을 깨우는 모래 폭풍처럼 왠지 모를 슬픔이 솟구쳤다. 여섯 살, 어린 내 손 안에서 터질 듯 팔딱거리던 작은 새의 심장 소리. 사이렌을 울리며 달려오던 구급차. 이혼 후 집으로 돌아와 무기력하게 숨죽이던 날들. 슬프고 고통스러운 기억들이었다. 나는 그 슬픔을 껴안고 절망했다. 버틸 힘이 남아 있지 않았다. 견딜 수 있는 한계점에 다다른 것일지도 몰랐다. 살아남으려면 더 이상 어둠 속에 웅크리고 있을 수만은 없었다.

어디서 그런 용기가 났을까. 나는 마음이 이끄는 대로 빛을 향해 상처투성이 날개를 힘껏 펼쳤다.

내가 먼 비행 끝에 날개를 접은 곳은 미국 동쪽 땅끝의 보스턴이었다. 그 도시는 종교의 박해를 피해 대서양을 건넌 청교도들이 처음으로 발을 내딛은 땅이었다. 그들의 후손에 의해 인문학이 새로운 태동을 하던 곳이기도 했다. 서울보다 더 습하고 뜨거운 여름과 눈 폭풍이 몰아치는 겨울을 견디고 나면 그 틈에 봄과 가을의 찬란한 휴식이 보너스처럼 주어지곤 했다. 나는 그 도시에서 두 해를 살았다.

2

L의 노트 1

—1992년

나는 이상을 용서할 수 없었다. 그래서 지난 반세기 동안 그를 철저히 외면하고 살았다. 상대에 대한 믿음과 존중이 없는 사랑이란 한낮에 꾼 꿈처럼 허망하기만 할 뿐이었다. 그가 나를 믿어주지 않았다는 생각에 나는 갓 스물의 무모한 사랑도, 황망하였던 그와의 사별도 다 묻어버렸다. 일본에서 갖은 고난 끝에 그의 유해를 갖고 돌아와 미아리 공동묘지에 안장하였지만 돌아보지 않았다. 그와 함께 지낸 기억의 부스러기조차 가능하다면 탈

탈 털어내고 싶었다. 과거를 추억하는 일이란 앞날에 방해될 뿐이며 과거를 껴안고 산다는 건 과거의 유령과 함께 사는 일이라 여겼다. 인생은 무상함 속에서도 슬픔과 기쁨이 교차된다는 것을, 연극 무대의 한 막이 끝나면 또 다른 막이 열릴 것임을 믿었다.

이상이 죽고 난 뒤, 화가 K를 만나 나는 원래의 내 이름을 버렸다. 부모가 지어 호적에 올렸던 이름, 이상의 아내였던 'L'을 버리고 그 대신 'A'이라는 새로운 이름을 얻었다. 이 이름은 K의 아호였지만 나는 그의 아호에 김씨 성까지 차용하였다. 이름과 더불어 성까지 버려 변씨 집안과 인연을 완전히 끊어버린 것이다.

서얼로 태어나면 아버지를 아버지라 부르지 못하였던 시대는 아니었지만 '첩의 자식'이라는 낙인은 끔찍하였다. 아무리 노력해서 조선 최고의 여자대학을 다녀도, 신여성 소리를 들어도, 내 이마에 낙인찍힌 '첩의 자식'이란 오명은 끝없이 나를 따라다녔다. 첩의 자식으로 태어난 게 내 죄도 아닌데 그 낙인을 달고 살아야 한다니! 천지가 개벽하듯 남자, 여자의 머리 스타일이 변하고 옷차림이 변하여도 그 시대, 1930년대의 사람들은 그렇게 미개하고 고루한 사고방식을 털어내지 못하였다.

내가 K와 사귄다는 소식에 이복언니가 달려와 내 머리끄덩이를 잡았다. 부인과 딸이 셋이나 있는 남자를 사귀어 다시 내 엄마처럼 첩이 되려 한다며 그악스레 달려들었다. 이복언니가 돌아간 뒤 거울에 비친 내 모습은 처참하였다. 산발한 머리카락과 찢긴 옷. 눈은 터질 듯 시뻘겋게 충혈되어 튀어나와 있었다. 이미 이 세상 사람이 아닌 가엾은 엄마까지 들먹이며 나를 희롱하고 한풀이하던 이복언니. 나는 분하고 억울하였지만 울지 않았다. 울면 지는 거라는 생각에서였다.

목포에서 배로 두 시간이나 떨어진 작은 섬에서 태어나 일본으로 유학을 떠난 K는 얼굴도 보지 못한 처자와 강제로 연을 맺었다. 아버지는 K를 집으로 불러들여 아들을 낳지 않으면 학비를 끊겠다며 엄포를 놓았다. 그리고 아들을 낳기 전까지 도망치지 못하도록 섬의 뱃사람을 단속하였다. 사랑도 소통도 없던 결혼 생활에 딸아이 셋이 줄줄이 태어났지만 그는 늘 그 섬을 벗어나는 꿈을 꾸었다. 그의 갈망과 나의 우울이 만나 누구도 꺼뜨릴 수 없는 불꽃이 타올랐다. 우리는 의기투합해서 서로의 상처를 보듬고 핥아주었다. 구시대의 유물이 나를 억압하면 할수록 내겐 투지가 생겨났다. 나는 그 뒤, 이복언니를 만난 적이 없다. 다시는 과거로 돌아가고 싶지 않았다.

오늘은 기쁜 날이다. 어쩌면 내 생애 최고의 날이라 불러도 좋을 듯하다. 몇 년 동안의 고생 끝에 마침내 K의 이름을 딴 미술관이 개관된 것이다.

미술관 터를 보러 처음 이곳에 왔을 때는 실망이 컸다. 기대했던 풍광은 없고 사방에는 바윗덩어리뿐이었다. 하지만 그 실망은 오래가지 않았다. 미술관 터에서 보이는 인왕산의 커다란 바위 하나가 보면 볼수록 마음을 끌었다. 그것은 웅대하면서도 부드러웠다. 무엇보다 북악산의 우백호로서 위용을 갖춘 바위산 자락이라는 게 내심 위로가 되었다. 나는 인왕산의 정기와 옛 세검정의 맑은 물이 흐르는 터에 세계에 내놓아도 손색없는 미술관을 완성해내리라 작심하였다. 그것으로 저세상의 K를 위로해 주고 싶었다.

오늘 개관식에 국내외 저명한 인사들이 제법 다녀갔

다. 개관을 기념해서 K가 뉴욕에서 그린 그림으로 '뉴욕 시대전'도 꾸몄다. 꽃과 축하를 넘치도록 받았다. 저녁 만찬도 근사하였다. 모든 게 다 잘되었다. K를 만나서부터 꿈꾸던 일들이 다 이루어졌는데 내 마음은 왜 이토록 쓸쓸할까. 이 공허함은 무엇일까.

나는 지쳤다. 여러 달 동안 미술관 개관을 위해 온 신경을 집중한데다 사람들로 북적대던 개관식에서의 피로까지 겹쳐 몸이 몹시 무겁다. K라는 천재 미술가를 조련하기 위하여 부단히 달려온 날들이 돌아보니 아득하다.

그의 놀라운 재능을 발견한 뒤 나는 한때 피어났던 소설가의 꿈도, 평범한 주부로서의 삶도 모두 접었다. 프랑스에 가서 그림을 그리겠다는 그를 위하여 불어를 배웠고 그보다 먼저 파리에 도착하여 터 닦을 준비를 마쳤다. 뉴욕에서 그의 그림이 팔리지 않아 경제적으로 곤궁할 때는 백화점 직원으로 일하는 것도 마다하지 않았다. 그러한 인고의 시간 끝에 K의 시대가 왔건만 나는 방에 혼자 남아 내 빈손을 들여다보고 있다. 왜 내 손은 또 빈손인가. 이제 무엇을 잡아야 하는가. 하지만 이제 나는 너무 늙고 지쳤다. 다시 새로운 투쟁을 위해 전열을 가다듬을 힘이 없다.

어머니, 나도 모르게 어머니를 부른다. 이상이 죽은 후에 도망치듯 사리원으로 가서 소학교에 잠시 근무한 적이 있다. 그때 어머니가 위독하다는 전갈을 받았지만 나는 가지 않았다. 첩살이였지만 그 시대의 여느 여자처럼 운명에 순응하며 살던 어머니. 마흔하나의 나이에 나를 낳느라 죽을 고생하였던, 이화여전에 합격하였다고 내 이름이 신문에 나자 눈물을 흘렸던 어머니. 사랑한 적도 존경한 적도 없던 어머니. 나는 이미 예순도 못돼서 돌아가신 어머니보다 한참이나 더 나이 들어버렸는데 오늘에서야 어린애처럼 어머니를 부른다. 어머니는 언제나 나를 절대적으로 믿어주었다. 이상과 살기 위해 집을 나올 때 나는 어머니를 속였다. 친구한테 간다고 거짓말을 한 것이다. 어머니를 볼 면목이 없어 결국은 장례식에도 가지 않았다.

K라는 천재 화가가 그림에만 매진할 수 있도록, 그래서 그가 목숨으로 그려낸 그림이 세계에서 인정받도록 달려온 수고도 끝이 났다. 이제 그가 남긴 그림은 나 없

이도 스스로 동력을 얻어 빛을 발할 것이다. 내 일생의 연극은 끝났고 막이 내렸다. 곧 내가 서성대는 이곳도 암전, 불이 꺼지고 말 것이다. 어쩌면 나의 이 독백은 연극이 다 끝나 막이 내린 홀에서 혼자 회한과 감상에 젖어 토해내는 늙은 배우의 한숨 같은 것인지도 모른다. 앞날에 대한 기대가 없는 오늘은, 빈손으로 과거를 추억하기에 딱 좋은 날이다.

3

뾰족지붕의 집

———————— 보스턴에 도착한 첫해에는 방을 빌려 살았다. 시간에 쫓기며 매 끼니를 만드는 것도, 낯선 곳에서의 외로움도 견디기 힘들었다. 그래서 보스턴 지역의 한인 신문 광고를 뒤져 식사를 제공해주는 하숙집을 찾아냈다.

약속을 하고 찾아간 집은 영국식 저택이 모여 있는 동네에 자리 잡고 있었다. 튜더풍의 뾰족한 지붕에는 흰 눈이 소복했고 붉은 벽돌의 굴뚝에선 하얀 연기가 쉬지 않고 하늘을 향해 솟아올랐다.

벨을 누르니 나이가 지긋한 백인이 나왔다. 내가 찾아온 이유를 설명하자 그가 집 안을 향해 "허니" 하고 불렀다. 안에서 사십 대 후반의 한국 여자가 나와서 사람 좋은 얼굴로 나를 맞아주었다. 키가 작고 통통한 몸매에 흰 살결이 도드라지는 여자였다. 나는 그녀를 따라 집 안으로 들어갔다. 한국 사람으로 보이는 하숙생 몇 명이 나를 보며 눈인사를 건넸다. 그곳의 하숙생들은 보스턴 인근의 대학이나 대학원생들이라고 했지만 흰머리가 성성한 남자도 보였다.

내가 지낼 방은 이층 구석에 있는 방이었다. 싱글 침대에 책상과 의자 한 개가 전부인 작은 방에는 넓은 뒤뜰을 향해 제법 큰 창문이 있어 답답하지 않았다. 지은 지 칠팔십 년은 족히 된 집이었지만 공동 시설인 거실과 다이닝룸, 부엌 등이 현대식으로 바뀌어 있었다.

거실에서 뒷마당으로 통하는 커다란 유리문을 열고 나가니 나무로 짜인 난간이 나왔다. 그곳에서 집의 뒷마당이 한눈에 들어왔다. 초등학교 운동장 크기의 꽤 넓은 마당이었다. 마당 옆으로 난 작은 길이 뒤쪽까지 이어지다가 숲에서 끊겼다.

흰 눈에 덮인 숲은 아침 햇살에 은빛으로 반짝였다. 추위도 잊은 채 서서 숲에 시선을 빼앗기고 있을 때, 어디선가 짧게 기적이 울리며 기차 바퀴 구르는 소리가 들렸다.

소리 나는 곳을 보니 뒷마당 옆으로 기차가 다가오고 있었다. 선로가 하나뿐인 기찻길이 그때야 눈에 들어왔다. 차량 두 대가 연결된 기차가 가까이 다가오자 차창 속의 사람들이 보였다. 그들은 자리에 앉아 고개를 숙이고 책을 읽거나 창에 머리를 기댄 채 내가 서 있는 곳을 무심히 지나쳐 갔다. 처음으로 경험한 기찻길 옆의 집이었다. 나는 기차의 꼬리가 내 시야 밖으로 사라질 때까지 눈을 떼지 못했다. 그런 내 모습이 신경 쓰인 듯 곁에 있던 집주인 여자가 말했다.

"익숙해지면 기차 소리가 잘 안 들려요. 그리고 늦은 밤에는 다니지 않아요."

숲이 있고 정해진 시간마다 기차가 마당 곁으로 지나가는 집. 그녀의 걱정과 달리 뾰족지붕의 집은 단박에 내 마음을 사로잡았다. 나는 그날로 계약을 했고 곧 짐을 옮겨왔다.

이사한 지 얼마 되지 않아 잿빛 구름이 몸을 키우더니 눈 폭풍이 몰려왔다. 하늘과 땅의 경계가 사라진 곳에 오로지 하얀 눈만이 펄펄 휘날렸다. 거리의 인적이 끊겼고 흰 눈만 소리 없이 쌓여갔다. 눈송이는 크고 무겁게 일직선을 그으며 쏟아지다가도 어느 틈에 작아져 바람에 흩날리는 꽃잎처럼 너울거리거나, 핑그르르 돌다가 사뿐히 나무와 마당 위에 내려앉곤 했다. 빗물이 들이치지 않도록 창문 밖에 쳐진 양철 차양의 움푹 팬 홈마다 어른 키 정도의 고드름이 매달렸다. 날이 풀릴 때면 눈 녹은 물이 뾰족지붕의 꼭대기에서 양철 차양으로 떨어지며 온종일 맑고도 경쾌한 소리를 냈다.

집주인인 유태인 남자 M은 한국인 유학생들에게 영어를 가르치다가 어학원의 학생이었던 S를 만났다고 했다. 둘의 사이에는 엘몬이라는 아홉 살짜리 남자아이가 있었다.

창백하도록 흰 얼굴에 블론드의 곱슬머리 아이가 쌍꺼풀 진 큰 눈을 깜작일 때마다 위쪽으로 말린 숱이 풍성한 앞머리가 눈썹을 따라 움직였다. 아이는 네 살도 되기 전에 미국 대통령들의 이름은 물론 그들의 업적까지 술술

외웠고 여섯 살 즈음에는 세계지도상의 나라와 수도의 이름을 정확하게 외워 모두를 놀라게 한 천재성이 있는 아이였다.

하지만 그 아이는 아무도 못 말릴 정도로 자기주장이 강하고 기가 세서 주변 사람들을 질리게 했다. 손에는 늘 게임기가 들려 있었는데 게임이 잘 풀리지 않을 때면 가끔씩 F로 시작되는 험한 욕도 거침없이 쏟아냈다.

함께 식사를 하며 차츰 그곳의 하숙생들과 얼굴을 익혔다. 꽤 예쁘장하게 생긴 유미라는 S의 조카와 그 집에서 1년 넘게 살고 있다는 B교수, MIT 공대생과 버클리 음대생, 그리고 일본에서 그림을 배우러 왔지만 그때껏 어학원을 다니던 재일 동포 미도리가 그 집의 하숙생들이었다.

B교수는 서울에서 제법 이름난 신학대학 교수인데 하버드대학에 교환교수로 왔다고 했다. 성성한 흰머리와 어울리지 않게 주름 하나 없는 얼굴은 대체로 밋밋했고 넓적해 보였다. 게다가 표정이 없어 좀 낯설어 보이는 인상이었다.

이지적이고 세련된 느낌의 MIT 공대생과 달리 버클리

음대생은 머리를 바싹 밀어 인상이 다부져 보였다. 그의 약지에는 특이한 나비 문신이 있었다. 파란색 나비가 날아오를 듯 날개를 편 문양이었다.

눈 폭풍이 심한 날이면 하숙인들은 종일 집 안에 갇혀 있었다. 그들은 지루한 시간을 보내기 위해 부엌 옆의 커다란 나무 식탁이나 거실 소파에 앉아, 체스를 두거나 텔레비전을 보거나 S가 끓여준 차를 마시며 무언가에 대해 열띤 토론을 벌이기도 했다.

보스턴의 겨울은 제설차가 밤늦도록 눈을 밀며 지나다니는 소리, 가끔 무거운 눈을 뒤집어쓴 전나무 가지가 투툭 소리를 내며 부러지는 소리, 그리고 뾰족지붕 아래의 사람들이 감기에 쿨럭이거나 발소리를 죽이며 계단을 오르내리는 소리와 함께 조용히 지나고 있었다.

그렇게 겨울방학이 되었다. 학교 수업은 없었지만 번역해야 할 원고들이 밀려 있었다. 오전 내내 책상 앞에 앉아 있어 그런지 두통이 왔다. 눈을 쉬려고 창밖을 내다보니 새벽부터 내리던 눈은 어느 사이에 그쳐 있었다. 잿빛 눈구름 사이로 푸른 하늘이 언뜻 비쳤다.

그때 새로운 이메일이 도착했다는 알림 소리가 났다.

예전에 내가 일하던 출판사의 부장인 J가 소개한 사람으로부터 온 이메일이었다. 그는 보스턴에서 한국 작가의 작품을 영어로 번역하는 일을 한다고 했다. 출판사의 요구대로 소설 한 편을 번역했다며 내게 최종 감수를 부탁했다. 나는 J로부터 미리 연락을 받았던 터라 그가 보낸 첨부 파일을 바로 열었다. 이상의 소설 〈날개〉였다.

처음에는 오역이나 잡아내자는 마음으로 별 기대 없이 읽기 시작했다. 하지만 시간이 흐를수록 나는 그 번역물에서 눈을 뗄 수 없었다. 그것은 그냥 단순한 번역이 아니었다. 반세기도 더 지난 1930년대의 문장들을 영어권 독자들이 이해하기 쉽도록 완벽하게 번역했을 뿐 아니라 문장 또한 아름다웠다. 내가 번역했다면 도저히 건드리지 못했을 부분까지 아주 세밀하게 재생시켜놓은 것이다. 나는 감탄했다. 그리고 그 사람이 궁금해졌다.

나는 그에게 이메일을 보냈다. 보내준 번역물은 잘 읽었으며 감수해줄 부분이 없어 무안하다고 했다. 그리고 '이상'이란 작가를 영어권의 독자에게 소개할 수 있어 기쁘다고도 썼다. 그 외에도 내가 그즈음 고민하고 있던 번역에 관한 것들에 대해 물었던 것 같다. 그에게서 곧 답장이 왔다.

말씀하신 것처럼 번역은 제2의 창작이란 말에 동의합니다. 단어 하나 때문에 앞으로 나아가지 못하고 몇 시간씩 매달려 있던 적이 있습니다. 전체 문맥과 어우러지는가, 잘 읽히는가, 의역으로 타협한 건 아닌가, 밋밋하진 않은가, 그게 가장 최선인가, 내심 고민을 하는 것이지요.

그렇게 해서 완성된 번역본을 읽고 있자면 기분이 묘합니다. 마치 내 피를 받고 태어나진 않았지만 내가 입양해서 키운 아이를 보는 듯 시간이 지날수록 애정이 자라나는 것을 느낍니다.

불운한 천재 이상의 존재에 대해 알게 된 것이 내겐 행운이란 생각이 듭니다. 그에 관하여 더 알고 싶은 욕구가 생겨 그의 작품집 전체를 찾아 읽게 되었습니다. 작품으로 엿본 그의 예술성은 아마 21세기가 지나도록 완전히 이해받기 힘들 듯합니다.

지금 나는 이상의 초상화가 걸린 제비다방에 앉아 있습니다. 이 초상화는 구본웅 화백의 '우인의 초상'을 흉내

내어 그려본 것입니다.

김준후

정중하게 예의를 갖춘 글이었지만 그 글에는 어쩐지 묘한 여운이 있었다. 나는 서울에 있는 J에게 이메일을 보냈다. 그의 번역은 적어도 내 시각으로는 완벽해서 내가 감수해줄 수준이 아니라고 썼다. 서울에서 곧 답장이 왔다. J에 의하면, 그는 어릴 때 부모님의 미국 유학 중에 태어났으며 중학교 졸업 후 서울로 돌아왔을 때 이미 5개 국어에 능통해 천재 소리를 들었다고 했다. J는 그가 석사와 박사를 보스턴의 하버드대학에서 마쳤다는 말로 그의 번역에 대한 기대를 감추지 않았다.

김준후, 그가 보낸 이메일을 나는 몇 번이나 다시 읽어 보았다. '지금 나는 이상의 초상화가 걸린 제비다방에 앉아 있습니다.' 그는 분명 보스턴에 있는데 1930년대 이상의 제비다방에 앉아 있다니! 그 문구를 어떻게 해석해야 할까, 그에 대한 궁금증이 일었다. 문득 답장이 쓰고 싶어졌다. 보이지 않는 에너지가 외로움이라는 동력을 얻어 앞을 향해 마구 달려가려고 했다. 그러나 나는 애써 그런 마음을 추슬렀다. 관계에 서툰 탓이었다. 섣부르게 타인과 관계로 엮여 평생 그걸 운명처럼 지고 갈 자신이 없었다.

나는 자리에서 일어나 창밖을 보며 서성거렸다. 묵직한 무엇인가가 마음을 짓눌렀다. 보스턴에서 공부를 마치고 학위를 딴들 서울로 돌아가 무엇을 하며 어떻게 살 것인가. 교수 자리는 너무 치열하고 정년도 보장 안 된 강의를 맡는 것조차 쉽지가 않았다. 이렇게 혼자 살며 늙어가면 그 끝에는 무엇이 있을까. 그런 생각이 들자 두려워졌다. 창밖은 흰 눈에 복사된 달빛으로 환했다.

4

L의 노트 2

‘이상’의 시대, 1930년대는 불확실하던 때였다.

나라는 망하였지만 힘없는 백성들은 어떻게든 살아가야 했다. 아이들은 자라면서 자연스럽게 적국의 언어를 배웠고 뜻도 모르며 적의 군가를 불렀다. 일본의 문화가 사회 곳곳에 파고들어 마치 신문명의 푯대처럼 나부꼈다. 그것에 길들여진 아이들은 마침내 적에 대한 사나운 적의마저 잃어가고 있었다.

구한말에 일본의 동경으로 유학을 떠나 의대를 다니다가 중퇴하고 돌아온 내 아버지는 고종 말년에 중추원 참

의로 잠시 일하기도 하였지만 나라가 망하면서 바랑을 등에 메고 산으로 절로 떠돌아다녔다. 나라를 빼앗은 일본의 제국주의에 저항하던 여느 의식 있던 자들과 달리 현실도피를 선택한 것이다.

결혼해서 딸 하나를 두었던 아버지는 그렇게 떠돌다 수원 부근에서 내 어머니를 만나 소실로 앉혔다. 아들을 갖기 위해서였다지만 나는 그 말을 곧이곧대로 믿지는 않는다. 홰나무 고목 둥치를 닮은 늙은 부인보다 파릇한 새순처럼 곱고 젊은 내 어머니에게 마음을 먼저 빼앗겼으리라. 어머니는 아버지의 소원대로 아들, 내 오빠를 낳았다. 아버지는 늙어 낳은 아들을 끔찍이도 아꼈다. 그래서 본처가 낳은 딸을 시집보내자마자 어머니와 오빠를 옛 궁가의 일부였던 송현 마루턱의 집으로 데려왔다.

송현 마루턱. 소나무가 많아 사람들은 솔재라고 불렀다. 경복궁 바로 동쪽에 위치한 곳이다. 그 집의 뒤뜰에는 둥치가 굵은 홰나무 고목과 우물이 있었다. 수령이 몇백 년은 된 듯한 나무였다. 나라가 망했을 때 그 홰나무가 사람 소리를 내며 울었다는 소문을 들은 뒤부터 나는 그 부근에 얼씬도 하지 않았다.

그 집에서 언니와 내가 태어난 후 아버지의 방랑벽은 다시 도졌다. 일 년에 몇 달씩 집을 비우는 일이 예사였다. 그러다 아버지가 집으로 돌아오면 집안의 평화는 여지없이 깨졌다. 아버지는 버릇을 고친다는 핑계로 언니와 오빠에게 자주 심한 매질을 하였다. 그 매질은 때로 무지막지하여 아버지의 한풀이처럼 여겨질 때도 있었다. 아버지가 나타날 때마다 집 안을 누르는 묵직한 공기에 숨이 막혔다. 나는 아버지의 눈에 띄지 않게 집 안의 구석진 곳으로 숨어들어 거기에서 책을 읽었다. 모두 잠든 캄캄한 밤에 일어나 남폿불을 밝혀 몰래 책 읽다가 아침을 맞은 적도 여러 번이었다. 침침한 불빛 아래 책을 읽는 것은 눈에 치명적이었다. 그때부터 쓴 안경을 지금껏 벗지 못하였다.

소학을 마친 뒤 나는 후일에 '경기여자고등학교'로 이름을 바꾼 '경성여고보'에 입학을 하였다. 어머니는 마치 첩실이라는 자신의 처지에 대한 보상이라도 받은 듯 밤색 세라 교복 차림의 나를 몹시 자랑스러워하는 눈치였다.

나는 붉은 벽돌로 지어진 학교 도서실에서 일본어로

번역된 세계문학 전집을 읽었고 그 책들을 통해 세계가 드넓다는 것을 알게 되었다. 그때 아버지가 없는 세계로의 동경이 태어났다. 여고보를 마치는 대로 동경의 영학숙으로 가리라 마음을 굳혔다.

그러나 인생은 언제나 순탄하게 굴러 가진 않았다. 고보를 졸업하고 백화점에서 일하던 오빠가 덜컥 병이나 일을 그만두게 되면서 집안의 경제 사정이 빠듯해졌다. 시집간 이복언니가 보태주는 생활비는 늘 먹고살기에도 빠듯해서 유학 자금을 마련할 수 있는 형편이 못 되었다. 차일피일 시간을 미루다 일본으로 떠났지만 이미 영학숙의 입학 시기는 끝나버렸다. 나는 어쩔 수 없이 영학숙 대신 외국어전문학교인 아테네 프랑세에 몇 달 다니다가 집으로 돌아왔다.

하나의 꿈이 꺾였다고 해서 마냥 주저앉아 있을 수만은 없었다. 나는 서둘러 이화여전의 입시에 응시하였고 무난히 합격하였다. 그러나 여전히 내 마음은 먼 곳을 향해 떠돌았다.

여성의 인권이 바닥을 헤매고 있던 그 무렵, 최고의 교육을 받는다고 달라질 것은 없어보였다. 여자의 성이나 사랑이 결혼과 동시에 남자의 소유가 되어버리던 때였다. 나는 절대로 그렇게 살고 싶지 않았다. 무엇보다도 어머니, 첩실인 내 어머니가 아버지에게 소유되어 자존감 없이 사는 모습이 끔찍이 싫었다. 그럴 때 마치 구원의 여신처럼 나타난 사람이 정월 나혜석이었다. "조선 여자도 사람 될 욕심을 가져야겠소"라는 그녀의 외침은 내게 어둠을 밝히는 한 줄기의 소중한 빛이었다.

나혜석은 당시의 여성으로는 드물게 동경의 미술대학에서 서양화를 공부하였다. 그곳에서 그녀의 의식은 명료하게 깨어났다. 여자가 무엇인지, 조선 사람이 어떻게 살아야 할 것인지 고민하게 된 것이다. 그녀의 변화된 의식은 생각 속에서 머물지 않았다. 학교를 마치고 조선에 돌아온 그녀는 일본에 의해 강제 점령된 한민족의 운명이 위태로운 것을 보며 1919년 3·1만세운동에 적극적으로 참여하였다. 그 때문에 5개월간 옥고를 치르기도 하였지만 그녀는 두려워하지 않았다. 결혼 후에는 남편과 함께 프랑스와 미국 등 열다섯 나라를 여행하였다. 프랑스에 다녀온 후 그녀의 그림은 자신만의 독특한 화풍을 가지게 되었다. 당시 유럽을 휩쓸던 야수파나 인상파의 그림에 영향을 받아 선이 굵어 묵직한 느낌이 드는 그림이었다. 그녀는 화가로 이름을 날렸을 뿐만 아니라 여성의 권리를 주장하는 산문과 소설 등을 여러 지면에 발표하기도 하였다. 그 지면을 통해 여성의 뜻과 상관없이 진행되었던 당시의 결혼 풍습이나 결혼과 동시에 여성을 소유물로 여기는 남자들에 대하여 매서운 비판도 서슴지 않았다. 봉건적 관념이나 인습의 억압에 대한 비판적인 글로 수많은 비난과 냉대에 시달렸지만 어느 누구도 그녀를 막지 못하였다.

봉건적 가치관에 길들여진 남자들의 사회인 조선을 벗어나 그녀처럼 프랑스에 갈 수 있다면, 그곳의 자유로운 공기 속에서 그림을 그리거나 글을 쓸 수 있다면, 적어도 나는 내 어머니와 다른 삶을 살게 될 거라 믿었다. 그러나 현실은 암울하였다. 경제적인 독립 없이는 감히 꿈도 꿀 수 없었다. 나는 틈틈이 시나 산문을 습작하는 것으로 마음을 달래었다. 내 간절한 꿈은 가슴 깊이 묻어 둘 수밖에 없었다.

내 또래의 여학생들은 영화나 연극을 보러 다니며 연

희전문학교나 보성전문학교 남학생들과 자유롭게 연애를 하였다. 하지만 나는 그런 것이 시시해 보였다. 집안이 좋은 일류 학교에 다니는 남학생들과 사귄다 하여도 '첩실의 딸'이라는 꼬리표가 결국 내 발목을 잡을 터였다. 그런 생각에 빠질 때면 나는 견딜 수 없이 우울하였다. 그때의 유일한 낙이라면 소공동의 '낙랑파라'에 가서 커피를 마시며 책을 읽거나 레코드판에서 흘러나오는 음악을 듣는 것이었다.

낙랑파라는 경성에서 최초로 문을 연 다방이었다. 그곳에서는 예술가들이 모여 담배를 피우거나 차를 마시며 가끔씩 열띤 토론을 벌이기도 하였다. 주인이 화가여서 그런지 실내 장식이 독특해 보였다. 다방의 입구에는 그 당시에 흔히 볼 수 없던 잎이 널따란 파초 화분이 있고 바닥에는 톱밥이 깔려 있어 이국적인 분위기가 물씬 묻어났다. 마침 백화점을 그만둔 오빠가 그곳에서 일하였기에 나는 부담 없이 드나들 수 있었다. 오빠는 이화여전에 다니는 내가 자랑스러운 듯 자기의 친구들에게 나를 소개하곤 하였다. 그때 얼굴을 마주친 사람 중의 하나가 오빠의 친구인 이상이었다.

큰 키에 머리칼은 부스스했지만 그의 얼굴은 퍽이나 인상적이었다. 우뚝하니 솟은 코와 세 꺼풀진 눈. 그리고 무엇보다도 눈빛이 깊었다. 그가 나를 보며 쓸쓸한 웃음을 지었을 때 어쩐지 가늠할 수 없는 그의 슬픔이 내게도 전염되는 듯 가슴이 저려왔다.

그에 대한 소문은 일찌감치 들었다. 천재적인 시인이자 건축학도이며 그림에 뛰어난 사람이라는 것을. 기생 금홍과 신분의 구별 없이 뜨거운 연애를 하였으며 그녀와 함께 제비다방을 경영한 적도 있었다는 무성한 이야기들이었다. 그런 소문과 상관없이 나는 그저 그의 깊은 눈빛과 쓸쓸한 웃음이 좋았다.

나는 거의 매일 학교 수업을 마치자마자 낙랑파라로 향하였다. 낯선 커피 향은 이국에 대한 향수를 달래주었고 창백한 얼굴의 이상이 나를 보고 있었다. 서양인처럼 유난히 하얀 그의 얼굴에는 덥수룩한 구레나룻이 덮여 있었다. 흰 와이셔츠에 진갈색의 보헤미안 넥타이를 매고 거기에 백구두까지 갖춰 신은 모습이 영락없는 그 시대의 모던 보이였다. 그는 적어도 내 아버지처럼 봉건적이거나 고루하지 않을 거라 생각했다.

이상이 며칠째 다방에 나타나지 않은 어느 날엔가 오빠가 넌지시 말을 꺼냈다. 이상이 병이 났다고. 내가 아무 대꾸를 하지 않자 오빠는 덧붙였다. 그가 병이 난 것은 나 때문이라고.

무슨 말을 할 수 있을 것인가. 나는 그저 오빠의 얼굴만 바라보았다. 그리고 오빠가 이상을 만나보겠느냐고 다시 물었을 때 가만히 고개를 끄덕였다. 그렇게 스물여섯 살의 이상과 스무 살의 내가 만났다. 엄혹한 시대가 만든 천재와 그 시대의 음영으로 우울한 내가 하나 되어 강렬하게 서로를 원하고 있었다.

5

김준후, 그리고 월든

———————— 뾰족지붕 아래의 하숙생들과 서서히 적응해갔다. 우리는 아침과 저녁에 정해진 식사 시간 때 얼굴이 보이지 않으면 서로의 안부를 궁금해하기도 했다. 그러나 B교수는 예외였다.

버버리 체크무늬 셔츠에 감색 바지. 그는 늘 같은 옷차림으로 거실 소파에 앉아 신문을 읽다가 나를 보면 슬그머니 일어나 방으로, 뒷마당으로 사라지곤 했다.

차츰, 그가 나를 피한다는 생각이 들었다. 나도 그런 행동을 하는 그가 불편하긴 마찬가지였다. 무슨 이유일까. 그에게 실수한 적이 있는지 떠올려보았지만 실수는커녕 우린 서로 말을 섞은 적도 없었다.

그렇게 12월의 마지막 날이 되었다. 텔레비전에서는 송구영신의 행사가 종일 방영되고 있었다. 나는 새해가 된다는 것에 크게 의미를 두지 않았다. 어제와 오늘이 별로 다르지 않듯, 새해인 내일 역시 오늘의 연장일 뿐이라는 생각에서였다. MIT 공대생과 버클리, 유미, 미도리는 모두 스키를 타러 갔고 나는 번역 일에 파묻혀 하루를 보내고 있었다. 그러나 그날 오후, 한 통의 이메일을 읽은 뒤 나는 여느 때와 다를 새해를 예감했다.

뜻밖이었다. 그가 소식을 보내온 것은. 시간이 괜찮다면 새해 첫날 함께 월든 호수에 가자며 나를 데리러 오겠다고 했다. 그의 이메일을 읽은 뒤 멍하게 창밖을 바라보았을 때 이명처럼 새 울음소리가 들렸다. 삐릿 삐릿 삐. 어릴 때부터 내 가슴 속에 살고 있는 새였다. 아릿한 통증에 나는 숨을 크게 들이마셨다.

어둠이 묽어지고 있을 무렵, 잠에서 깨어났다. 그가

9시까지 집 앞으로 오기로 한 것을 떠올리며 발목을 붙잡는 따듯한 이불 속에서 나왔다. 월든 호수에 가겠다고 했지만 어쩐지 마음이 편치만은 않았다. 우연히 알게 된 사람과 인연으로 엮일까, 내 몸의 감각이 나도 모르게 반응한 것이었다. 나는 차오르는 불안을 떨치지 못한 채 나갈 채비를 했다.

안쪽이 기모 처리된 바지에 검정색 터틀넥 스웨터를 입고 그 위에 겨울옷 중 가장 두툼한 패딩 반코트를 걸쳤다. 머리를 모아 뒤로 묶은 뒤 무릎까지 오는 방수 부츠를 신은 것으로 외출 준비가 끝났다.

나는 그가 도착하기 전에 집 밖으로 나갔다. 잠시 서성거리니 약속 시간을 얼마 남기지 않고 차 한 대가 집 앞에 멈춰 섰다. 포드에서 만든 낡은 검정색 SUV였다. 거기서 한 남자가 내렸다.

아침 햇살 탓이었나. 햇살을 등지고 있어 처음에는 그의 모습이 잘 보이지 않았다. 검정색 반코트를 입은 남자가 나를 향해 다가오며 물었다.

"주리 씨?"

낮지만 울림이 있는 목소리였다.

나와 몇 발자국 정도의 거리에 놓였을 때야 그의 얼굴이 눈에 들어왔다. 이마를 살짝 덮은 고수머리에 위로 짙게 뻗친 눈썹은 마치 붓으로 단번에 그은 것처럼 눈썹 끝이 위를 향해 솟구치다가 살짝 굽었다.

그가 내게로 다가와 걸음을 멈추었을 때 무심코 눈이 마주쳤다. 크고 새까만 눈동자가 유난히 깊고 강렬하게 나를 바라보고 있었다. 나는 헛기침을 하며 그의 시선을 피하고 말았다. 빛조차도 가둬버리는 블랙홀처럼 어쩐지 쓸쓸해 보이는 그 눈빛에 이끌렸다가는 도저히 헤어나올 수 없을 것만 같았다.

그때부터 다른 것은 아무것도 보이지 않았다. 그가 무슨 옷을 입었으며 어떤 신발을 신고 있는지, 얼굴이 잘생긴 사람인지 아닌지, 아무것도 볼 수 없었다. 오로지 그 눈빛만이 각인되었다.

그가 운전석 옆자리의 차 문을 열어주었다. 세차를 한 지 오래된 듯 보이는 밖과 다르게 차 안은 말끔했다.

"커피, 괜찮죠?"

테이크아웃 컵에 담긴 커피를 내게 건넨 뒤 그가 시동

을 걸어 차를 움직였다. 커피는 방금 내린 것처럼 향이 좋은 아메리카노였다. 따듯한 커피 한 모금이 링거 수액처럼 스며들자 가슴이 서서히 진정되었다. 그러는 동안 차는 집을 빠져나와 도로를 달리기 시작했다.

"월든이 처음인가요?"

잠시 동안의 어색한 침묵을 깬 것은 그였다.

그의 말에 처음《월든》을 읽고 받은 신선한 충격이 떠올랐다. 미국의 문화가 막 탄생할 무렵, 선택받은 소수의 인텔리였던 헨리 데이비드 소로가 자기가 가진 혜택을 다 내려놓고 자연으로 돌아가 직접 지은 통나무집에서 스스로 먹을 것을 해결하며 지낸 2년 2개월의 기록을 아주 구체적으로 적어놓은 책이《월든》이었다. 그 책은 내게 깊은 인상을 남겼고 나는 종종 소로가 매일 목욕하던 월든 호수를 머릿속으로 그려보곤 했었다. 그러나 내 삶이 걷잡을 수 없는 소용돌이에 휘말린 후 거기서 허우적거리느라 월든 호수며 소로 등을 나는 정말이지 까마득히 잊고 있었다.

"《월든》을 읽은 뒤 언젠가 꼭 가봐야지 했는데, 오래도록 잊고 있었어요."

그가 차의 속도를 조금 높이며 기분 좋은 듯 대꾸했다.

"그 언제가 바로 오늘이군요."

잿빛으로 잔뜩 움츠린 하늘을 들추고 한 움큼의 햇빛이 쏟아져 나왔다. 그 빛은 운전대를 잡은 그의 손등에 부드럽게 내려앉았다. 처음 만난 그와 함께 가는 길이 어쩐지 낯설지 않았다. 그런 일은 처음이어서 마치 꿈을 꾸듯 모든 게 비현실적이었다.

프리웨이에서 내린 차는 아스팔트가 깔린 작은 숲길을 향해 속도를 늦추었다. 집에서 떠난 지 30분 정도 지났을 때였다. 눈이 무겁게 쌓여 가지가 아래로 잔뜩 휜 소나무와 떡갈나무가 우거진 숲으로 들어서자 주차장이 나왔다. 그곳에 차를 주차하고 작은 길을 따라 내려가니 숲 사이로 반짝거리는 게 시야에 들어왔다.

생각보다 작은 호수였다. 반쯤 얼어붙은 호수에 아침 햇살이 부서져 빛을 반사하고 있었다. 전날 내린 폭설 때문인지 눈은 발목까지 차올랐다. 이른 아침인데도 새하얀 눈 위에는 벌써 발자국이 어지럽게 찍혀 있었다. 우리는 호수 옆길로 걸음을 옮겼다. 그 길은 폭이 좁아 두 사람이 나란히 걸을 수 있는 길이 아니었다. 그가 앞장섰고, 내가 비스듬히 비껴서 그의 뒤를 따랐다. 눈길을 헤치며 걷는 게 쉽지는 않았다. 그렇게 한참 가다보니 소로가 통나무집을 짓고 산 곳이 나왔다. 그곳에 밤색 페인트칠이 된 나무판이 세워져 있었다. 나는 몸을 조금 구부리고 서서 거기에 쓰인 글을 읽어 내려갔다.

내가 숲으로 간 것은 삶의 기본적인 것들만 마주하며 여유롭게 살기 위해서였다.

그래서 그 가르침을 제대로 배워 죽음의 순간에 내가 헛되이 살지 않았다고 확인하고 싶었다.

《월든》에서 읽어서 기억하고 있는 글이었다. 책을 통해 본 글을 직접 와서 보다니, 그것도 지구를 반 바퀴 돌아 외진 곳에서. 새삼 감동이 밀려왔다.

밤색 나무판에서 몇 걸음 떨어진 곳에 화강암 표지석이 서 있었다. 그 자리는 두 평도 못 되는 소로의 작은 오두막이 있던 곳이었다.

그가 부러진 나뭇가지 하나를 찾아와 땅 위에 무언가 그리기 시작했다. 전날 내린 눈이 부드럽게 덮여 있어 힘들이지 않고도 쉽게 금이 그어졌다.

그는 먼저 통나무집의 윤곽을 그렸고 거기에 드나드는 문과 두 개의 창을 표시해두었다. 그러고는 창 안쪽에 책상과 세 개의 의자를 그렸다. 그 의자는 소로가 '고독'과 '우정'과 '사교'를 위해 놓았다는 의자였다.

그가 굽혔던 허리를 잠깐 펴고는 들고 있던 나뭇가지 끝으로 자기가 그린 의자들을 가리키며 말했다.

"의자마다 각자 다 의미가 있다는데. 어, 이건가? '고독'을 위해 놓았다는 첫 번째 의자 말이에요."

의자 그림을 내려다보며 그가 뜬금없이 물었다.

"고독과 외로움의 차이를 뭐라고 생각해요?"

갑작스런 그의 질문에 나는 잠깐 고독이란 단어를 떠올려보았다. 'solitude'는 혼자라는 의미의 'sol'과 성질이나 상태를 나타내는 'tude'의 합성어였다. 즉 혼자인 상태가 되는 것이다. 그것은 자발적으로 혼자인 상태를 말한다. 나는 다시 외로움을 뜻하는 말인 'loneliness'를 분석해보았다. 그것은 'alone'에서 a가 떨어져 나간

'lone'과 접미사 'ness'가 합해서 외로움, 즉 단순히 외롭다는 의미를 지니고 있었다. 그것을 어떻게 설명해야 할지 몰라 머뭇거리는 나를 보며 그가 빙긋 웃었다.

"'고독이란 혼자 있는 즐거움이고 외로움이란 혼자 있는 고통'이라는 말이 있어요. 폴 틸리히라는 신학자의 말이지요. 소로는 이 의자를 외로움을 위한 의자가 아니라 고독을 위한 의자라고 했어요. 일찌감치 혼자 있는 즐거움을 깨달은 거죠."

분석이 필요 없는, 정말이지 명쾌한 답이었다. 팔짱을 낀 채 골똘히 생각에 잠긴 그의 옆모습은 독특했다. 고수머리에 살짝 가려진 이마도 그렇지만 그의 뒤통수가 유난히 툭 튀어나와 있었다. 그것도 동글동글한 게 아닌 약간 울퉁불퉁한 모가 나서 그쪽의 머리칼이 고수머리에도 불구하고 약간 들떠 있었다.

"'고독이 나를 위로한다'라는 말이 있는데, 나는 그 말이 정말 마음에 들어요. 사실은 나도 그래요. 사람과의 관계에 힘들 때 혼자 있는 버릇이 있어요. 실컷 고독을 즐기다 보면 다시 사람들 속으로 들어갈 힘이 생기거든요. 그래서 소로의 방에는 '고독'과 '우정'과 '사교'를 위한 세

개의 의자가 있는 것 같아요. 고독을 즐기며 얻은 힘으로 친구들을 불러들여 소통하고 그들과 더불어 균형 잡힌 사회를 만들 꿈을 꾸었으니까요."

말을 마친 뒤 그는 다시 그림에 열중했다. 책상 맞은편에 한 사람이 겨우 누울 수 있는 작은 침대를 그린 뒤 머리맡에 굴뚝과 연결된 벽난로를 그렸다. 그 벽난로가 호숫가에서 주운 돌로 장식되었다는 설명도 빼놓지 않았다.

그가 마침내 굽힌 허리를 폈다. 비록 눈 위에 나뭇가지로 그렸지만 소로의 통나무집 내부 구조가 완성된 것이다. 마치 무언가를 해낸 아이처럼 만족스러운 웃음이 그의 얼굴에 번졌다. 그런 그가 깊이를 알 수 없는 우물처럼 신비했다.

나는 눈밭에 그려진 작은 의자 위에 몸을 웅크리고 앉았다. 그리고 그렇게 앉은 채로 거기서 소로가 창을 통해 바라보았을 겨울 호수의 풍경을 바라보았다. 소나무 숲 사이로 얼어붙은 호수가 눈에 들어왔다. 뺨이 얼얼하도록 거세고 세찬 바람이 쉴 새 없이 불었다. 소로는 이 의자에 앉아 창밖을 바라보며 무슨 생각을 했을까. 인가 없는 호숫가에 겨울이 오고 으슥한 밤이 되면, 여우가 컹컹

우는 밤이 되면, 그는 무슨 생각으로 이 황량한 생활을 혼자 견뎌냈을까. 상상은 그렇게 꼬리를 물었다.

눈이 쌓여 있어 그런지 바닥이 푹신했다. 바람이 불 때마다 소나무 가지에서 눈이 휘날렸고 솔 향이 코끝을 스쳤다. 나는 눈을 스륵 감았다. 몸 안 가득 신선한 기운이 담겼다. 소로의 월든 호숫가를 산책하고 그 집터에 앉아 보다니, 꿈인가 싶었다. 감은 눈을 다시 떴을 때 시야에 한 사람이 들어왔다. 푸른 하늘을 등지고 서서 나를 내려다보고 있었다. 어쩐지 그가 거인처럼 장대하게 보였다. 나는 조금 무안해서 얼굴을 붉혔다. 몸을 일으키려고 했을 때 그는 끼고 있던 장갑을 벗고 내게 맨손을 내밀었다. 따듯한 손이었다.

우리는 호숫가로 내려갔다. 호수는 반쯤 얼어 있었다. 바람이 사납게 불어 그의 머리칼을 마구 흩뜨렸지만 그는 그저 바지 주머니에 두 손을 찌른 채 눈앞의 호수를 바라보았다.

"이 호숫물은 어디서 흘러온 거죠? 주변에 깊은 산이 있는 것도 아닌데."

내 말에 그는 빙그레 웃었다.

"알 수 없으니 소로의 표현처럼 신의 눈물방울이라고 해둡시다."

얼지 않은 곳에서 물비늘이 햇빛에 반사되어 반짝거렸다.

"고인 물인데도 호숫물이 맑아요. 늘 바닥이 비칠 정도죠."

"자주 오셨나 봐요?"

"특별한 일이 없으면 거의 매주 와요."

"아!"

매주 온다는 말에 나도 모르게 그를 쳐다보았다.

"이 주변을 한 바퀴 돌고 나면 생각이 단순해져요."

그가 순하게 웃었다.

우리는 호수 주변을 다시 걷기 시작했다. 약간 비탈진 길을 오르니 호수의 전경이 한눈에 들어왔다. 걸음을 멈추어 쉬고 있을 때 그의 시선이 느껴졌다. 할 말이 있는 듯했다.

"이 호수와 인연이 깊어요."

그 말만 던진 채 그는 한동안 눈앞의 호수에서 눈을 떼지 않았다. 그가 하려는 말이 무엇인지 가늠조차 되지 않았다. 그렇게 서서 얼마간 말이 없던 그가 마침내 입을 열었다.

"하버드의 학위로 쉽게 취직했어요. 몇 년 만에 집도 장만했고. 그즈음 주변 사람들의 소개로 여자를 만나기도 했죠. 그런데 여자를 만나면서도 늘 가슴이 헛헛했어요. 서로가 바라보는 곳이 일치하지 않았거든요. 결국 그런 관계들은 오래가지 못했죠."

별로 유쾌한 기억은 아닌 듯 그의 얼굴이 약간 어두워졌다. 나는 가만히 그의 뒷이야기를 기다렸다.

"생활의 규모가 차츰 커져갔어요. 집과 자동차의 할부금에 세금, 각종 보험들. 집이 있으니 거기에 걸맞은 가구가 필요했어요. 근사한 정원을 망치지 않으려고 정원사도 고용했고. 일에 더 매진했어요. 가진 걸 지켜야 했으니까. 사는 게 바빠서 정작 정원에 나가 즐길 틈도 별로 없으면서 말이죠."

말을 끊고 그가 호수를 바라보았다. 그의 눈이 가늘어졌다. 나도 그의 눈길이 닿은 곳을 바라보았다. 잿빛 하늘과 흰 눈에 덮인 숲 그리고 반쯤 얼어붙은 호수가 거기에 있었다.

"그때는 여기를 몰랐어요. 아니, 이곳을 알았다 해도 그냥 수수한 호수네, 하고 지나쳤을 겁니다. 그런데 언제부터인가 내 삶에 회의가 들었어요. 이건 아닌데, 그런 생각이 들더라고요. 내가 집을 소유한 게 아니라 그 집이 나를 소유하고 있다는 생각이 들었어요. 지쳤나 봐요."

"아……."

"그즈음부터 회사 생활도 지루해졌어요. 회사 일이란 게 몸만 바빴지 별 게 아니었어요. 위에서 내려온 오더를 차질 없이 수행하는 거였죠. 나 스스로 사는 게 아니라 마치 기계의 부속품처럼 조립되어 살고 있는 것 같았어요. 부속품이란 게 그렇잖아요. 쓰다가 낡거나 고장이라도 나면 새것으로 교체되는 소모품인 거죠. 어떤 변화가 필요하다고 느낄 무렵, 우연히 소로가 쓴 《월든》을 읽게 되었어요."

그가 가볍게 한숨을 내쉬었다.

"소로가 부러웠어요. 그는 내가 살고 싶은 삶을 살고 있었으니까요. 하버드를 졸업한 그가 마음만 먹으면 남들이 흔히 말하는 성공이나 부를 쉽게 거머쥘 수 있었지만 그는 그 길을 가지 않았어요. 그 대신에 자신이 선택한 방법대로 살기 시작했죠. 그 때문에 잃은 것도 있었지만 얻은 것도 많았어요. 가진 게 시간뿐이니 자연과 가까워지고 그 속에서 사색하고 사색의 결과를 직접 삶을 통해 실험하고."

그가 생각에 잠긴 듯 잠깐 말을 끊었다가 다시 이었다.

"'진리를 다루면 우리는 불멸의 목숨을 얻게 된다'는 그의 말이 옳았어요. 비록 길지 않은 생이었지만 그의 삶이 시공을 초월해 인도의 간디나 법정 스님에게도 영향을 주었다니 그야말로 불멸의 삶을 살았다고 할 수 있겠지요. 그 책을 덮고 나니 가슴이 견디기 힘들 정도로 먹먹해지더군요."

"'진리를 다루면 우리는 불멸의 목숨을 얻게 된다'라……."

"그래서 회사에 휴가를 냈어요. 그리고 휴가 기간 동안 매일 여기에 왔지요. 생각하려고 이곳에 찾아온 건데 의외로 생각이 단순해졌어요. 내가 원하는 걸 하면 되지, 대체 무엇이 문제인가. 그렇게 생각이 정리된 거죠. 휴가를 끝내고 회사로 돌아가 사표를 냈어요. 그리고 하나씩 정리하기 시작했어요. 집을 팔아 작은 아파트로 이사했고 살림살이도 옷도 거기에 어울릴 만큼만 남겼지요. 자동차가 낡아도 계속 타고 다니고. 그렇게 삶이 단순해지니 자연히 생활비가 줄어들더군요. 지금은 지출이 필요한 만큼만 일을 해요. 생활을 위해 학생들이 쓴 에세이를 봐주고 교정이나 번역 일도 합니다. 그리고 남은 시간에는 전부터 하고 싶던 연구를 해요. 고문서들을 번역하는 일이죠. 뜬구름 잡는 것처럼 보이겠지만 내가 좋아하는 일을 하니 마음이 편해 좋아요. 그래서인지 나에게 월든 호수는 특별해요. 성지이자 마음의 고향인 셈이죠."

그의 이야기를 들으며 바라본 호수는 별다른 특징 없이 수수한 모습을 하고 있었다. 한 시간 정도 천천히 걸으면 다 돌 수 있을 정도의 작은 호수였다. 여느 호수보다 아름답지도 장엄하지도 않은 월든 호수가 세계적인 성지가 되어 수많은 순례자들의 찬사를 받는 이유는 무엇이었을까. 생각해보니 그것은 호수에 깃든 소로의 정신을 기리기 위해서인 것 같았다. 소로의 월든 호수는 모든 것이 기계화되는 이 시대에, 부품처럼 전락하고 있는 인간의 존엄성을 지켜내는 하나의 표상이 된 것이다.

월든 호수를 나서며 그는 함께 점심을 먹자고 했다. 새해 첫날이라 그런지 문을 연 식당들이 보이지 않았다. 우리는 보스턴대학 근처에 있는 식당을 겨우 찾아 들어갔다. 그곳은 아랍 음식과 차를 파는 곳이었다.

언 몸을 녹이며 음식이 나오기를 기다리는 동안에 그는 벗어둔 코트 주머니에서 작은 수첩을 꺼내 무언가를 그리기 시작했다. 호수와 호수 주변의 나무들 그리고 호수를 바라보며 서 있는 남자와 여자의 뒷모습까지. 그리 힘들이지 않고 볼펜으로 쓱쓱 그렸을 뿐인데 월든 호수의 풍경이 고스란히 담겼다.

"기념이라 생각하세요. 월든을 잊지 마시라고."

그는 수첩에서 찢어낸 그림이 그려진 종이를 내게 건네며 말했다.

어쩐지 그가 아주 오래전부터 알던 사람처럼 친숙하게 느껴졌다. 마치 바람에 갈대가 몸을 눕히듯 그의 언어와 행동이 내 속의 가시를 잠재우고 있었다.

"그런데 소로는 죽을 때 어떤 생각을 했을까요? 하버드 졸업장을 저버린 삶에 대해 후회는 없었을까요?"

그는 고개를 저었다.

"소로의 마지막은 행복했어요. 비록 사십사 년밖에 살지 못했지만 자기가 원한 삶을 살았으니까요."

"천재들은 단명하나요? 소로도 그렇지만 이십칠 년밖에 살지 못한 이상도 안타깝다는 생각이 들어요. 그가 좀 더 살았더라면 좋았을 텐데."

내 말에 그의 눈빛이 살짝 흔들렸다. 그는 할 말을 잃은 듯 고개를 돌려 창밖으로 시선을 주었다. 창밖에 별 특이한 풍경은 없었다. 다만 인적이 끊긴 거리와 셔터를 내린 상점과 간간이 지나가는 자동차뿐이었다. 잠깐 동안 침묵이 이어졌다. 무언가 할 이야기가 많아 무거워진 침묵이었다.

그때 우리가 시킨 음식이 나왔다. 소고기와 닭고기를 갈아 길쭉하게 빚어 구운 쿠비데 케밥이었다. 고기가 담긴 커다란 접시에 향신료가 들어가 샛노란 밥과 샐러드, 후무스가 함께 나왔다.

그는 아랍 음식이 익숙한 듯 이스트가 들어가지 않은 납작한 빵을 조금 찢어 후무스에 찍어 맛있게 먹었다. 삶은 병아리콩에 올리브유와 향신료를 섞어 만든 후무스는 약간 비릿하면서도 느끼했다.

"'후무스 없는 식탁은 이야기가 없는 아라비안나이트 같다'고 해요. 그만큼 중동 사람들의 식탁에 빠지지 않는 음식이죠. 우리의 김치처럼 지역마다 만드는 방법이 다르다네요."

그는 빵 조각에 후무스를 찍어 내게 내밀었다. 할 수 없이 그걸 받아서 입에 넣었지만 콩 비린내가 먼저 났다.

내가 손을 내려놓자 그는 뜨거운 홍차가 담긴 잔을 내 앞으로 밀었다. 발그레한 빛이 도는 찻잔 위로 하얀 김이 서렸다.

"이걸 마셔요. 금방 개운해져요."

그는 홍차에 각설탕을 몇 개 넣고 휘저었다. 달달하면서도 슬쩍 떫은 홍차 한 모금에 후무스의 느끼함이 말끔히 사라졌다.

그날 우리의 대화는 거기서 끝났다. 그는 창밖의 풍경에 눈길을 주거나 투명한 홍차 잔의 바닥에 가라앉은 설탕을 나무 스틱으로 몇 번 저어줄 뿐이었다.

돌아오는 차 안에서도, 나를 집 앞에 내려준 뒤 손을 잠깐 흔들고 떠날 때에도, 묵직한 침묵만이 우리의 어깨를 누르고 있었다.

그날 밤, 나는 일찌감치 샤워를 마치고 취침 준비를 했다. 어느 날보다 긴 하루를 보낸 탓에 달콤한 피로가 밀려들었다. 불을 켠 채 침대에 누워 그가 그려준 월든 호수 그림을 들여다보니 그와 함께 보낸 시간들이 생생하게 되살아났다. 고작 한나절을 같이 보냈을 뿐인데 그의 생각이 내게 스며들어 쉽게 떠나지 않았다.

6
L의 노트 3

우리는 허허벌판을 지나 한참을 더 걸었다. 그 끝에 인적이 끊긴 숲이 있었다. 방풍림으로 조성된 그 숲속에는 오롯이 이상과 나뿐이었다. 밤색 두루마기 한복을 입은 후리후리한 키의 이상과 단발머리에 키 작은 내가 서로에게 이끌려 달빛에 물들고 있었다.

달빛은 참으로 환하였다. 우리는 머리 위로 쏟아지는 달빛을 받으며 이야기를 주고받았다. 가끔씩 그의 웃음소리가 숲에 가득 찼다. 사람의 폐부를 꿰뚫어 볼 듯 이글거리던 그의 검은 눈빛도 그곳에서는 순해졌다. 말을 하지 않을 때면 수줍은 표정으로 쓸쓸한 웃음을 곧잘 지었다. 그러다가 뜬금없이 "우리 먼 데 갈까? 우리 같이 죽을까?" 그렇게 물었다. 그럴 때 그의 시선은 허공을 맴돌았다. 마치 아무 데도 깃들 곳 없는 새의 눈처럼 눈빛이 공허하였다.

그랬다. 그때의 그는 처참한 상황이었다. 제비다방이 망한 뒤에 집을 저당 잡혀 몇 번인가 더 카페나 다방을 차렸지만 돈 버는 데는 영 소질이 없었다. 거리에 나앉게 된 이상을 구원한 사람은 그의 친구인 화가 구본웅이었다.

구본웅은 나에게 조카뻘이다. 내 이복언니가 구본웅의 아버지에게 재취로 시집가서 키운 아들이 구본웅인 것이다. 그는 태어난 지 4개월 만에 어머니를 잃었다. 그리고 두 살 무렵인가, 그를 등에 업은 하녀가 대청마루를 오르다 댓돌 위에 떨어뜨려 곱사등이가 되었다. 그렇게 구본웅은 평생 그 장애를 등에 지고 살게 되었다. 장님이나 꼽추 등의 장애를 가진 사람들에게 몹시 가혹한 시절이었다. 그들이 거리를 오가면 아이들이 따라다니며 놀리거나 돌멩이를 던지기도 했다.

장애 때문에 학교를 제때 다니지 못해 휴학을 반복하던 구본웅은 동급생들보다 나이가 네 살이나 많았다. 이상은 구본웅을 놀려대며 하대하였던 동급생들과 달리 나이 많은 꼽추 구본웅에게 존대를 쓰며 깍듯이 대해주었다.

평소 그림을 좋아하던 그 두 사람은 함께 사생을 하며 자연스레 친구가 되었다. 구본웅도 이상처럼 그림에 남다른 소질을 보였다. 그의 그림은 어려서부터 주목을 받았고 일본 유학을 마치고 조선으로 돌아왔을 때는 자유분방한 붓질과 강렬한 색으로 화단에 커다란 반향을 일으키기까지 하였다.

구본웅은 경제적인 위기에 몰린 이상을 자기의 아버지가 경영하는 출판사에 취직시켜주었다. 그 덕분에 겨우 입에 풀칠은 하게 되었지만 이상의 미래는 불투명하였다. 그의 표현대로 '일급 일 원 사십 전을 받으며 우중충한 인쇄공장에서 암울한 생활을 찍어낼 뿐'이었다.

그때 나는 겨우 스무 살이었다. 집과 학교가 내 세상의 전부였던 내 나이 스물. 나는 그가 껴안은 삶의 무게를 가늠할 수 없었다. 손가락이 잘린 이발사 아버지와 얼굴이 얽은 어머니의 가난을 책임져야 할 장남으로서의 중압감도, 폐병이 깊어져 삶과 죽음의 경계에서 아슬아슬하였던 그의 삶도 제대로 이해하지 못하였다. 그저 먼 데로 여행을 가자는 그의 시니컬한 말이 좋았고 함께 죽자는 말도 싫지 않았다. 어쩌면 말의 유희쯤으로 여겼는지도 모르겠다. 하지만 어느 날, 그의 입에서 '나혜석'이란 이름이 나오고 하물며 여자인 그녀를 존경한다고까지 말하였을 때 나는 그가 새로이 보였다.

나혜석. 이상은 그녀를 만난 적이 있다고 하였다. 친구인 구본웅과 함께 양과자점에 갔다가 우연히 만나 이야기를 나누었는데 그녀처럼 당당하게 자기가 원하는 삶을 사는 조선의 여성을 본 적이 없다고 하였다. 그녀는 자신에게 돌아오는 냉대를 개의치 않고 당시의 부조리한 사회상에 대해 거침없이 저항하는 인물이었다. 이상은 그런 나혜석에게 빠져들었다. 신분과 빈부의 차이는 물론이고 남녀의 차이도 있을 수 없다는 그녀의 말들이 뇌리에서 떠나지 않았다고 하였다. 이상은 나혜석을 존경한다며 말끝에 덧붙였다. 자기도 술집 작부 출신인 금홍이와 사랑을 하면서 그녀의 문란한 과거를 캐묻지 않았다고. 그는 제비다방의 영업이 여의치 않아 한가해진 금홍이가 외간 남자들과 바람을 피울 때도 "나는 금홍이의 오락을 돕기 위해 가끔 P군의 집에 가서 잤다"고 하는 등 당시의 사람들에게는 도저히 이해받을 수 없는 행동을 하곤 하였다. 훗날의 평자들은 그런 일을 두고 '피학성을 띤 극도의 자기 폐쇄성' 또는 '부르주아 사회에 대한 반항 차원의 행동'이었다고도 하지만 나는 알고 있다. 그런 것을 떠나 이상은 사람과의 관계에 있어 그의 장애나 출신 성분 등을 따지지 않는 따뜻한 성품의 사람이라는 것을. 사람은 누구나 장애가 있고, 출신 성분이란 우리가 노력해서 선택할 수 있는 게 아니라는 것을 겨우 스물 몇 살의 그는 알고 있던 것이다.

'매춘부에게 은화를 지불하면서도 한 번도 그네들을 매춘부라고 생각한 일이 없다, 내 진담이다'라고 〈봉별기〉에서 밝혔듯 이상은 그렇게 사람을 차별하지 않았다. 그것이 이상이었다.

이상은 얼굴이 아름다운 여성보다 나혜석처럼 재능이 탁월한 여자가 좋다며 내 손을 잡아끌었다. 그리고 "우리 먼 데 갈까? 우리 같이 죽을까?" 그렇게 다시 물었다. 시선은 허공에 둔 채였다.

나는 이상이라는 모던 보이에게 무작정으로 끌렸다. 그와 헤어져 있을 때면 그의 글들을 닥치는 대로 찾아 읽었다. 자신의 부고를 동봉한 수필인 〈산촌여정〉이나 붓으로 점을 찍어 그림 그리듯 써낸 〈조춘점묘〉 같은 빼어난 글을 쓰는 작가라니! 브레이크가 고장난 기관차처럼 그에게 달려가는 마음을 제어할 수 없었다.

나는 그가 이끄는 대로 조그만 가방 하나만을 들고서 집을 나왔다. 나를 태산처럼 믿는 엄마에게는 친구 집에 간다고 거짓말을 하였다.

7
사랑이 찾아왔다

―――――――――― 3월이 시작되었지만 폭폭 쌓인 눈은 녹지 않고 나무들도 동면에서 깨어날 기미가 없었다. 다만 뒷마당 구석의 뽕나무에 둥지를 튼 검은 새만이 이따금 푸른 하늘을 향해 날개를 힘껏 차며 날아올랐다가 다시 둥지로 돌아오곤 했다.

마당 뒤쪽의 숲은 눈에 덮여 적막했다. 집주인 M은 우리가 그 숲으로 가는 것을 경계했다. 숲속에는 야생동물들이 있어 살인 진드기가 번식했을지 모른다며 정원사에게도 그곳 출입을 막아 S와 가벼운 실랑이를 벌인 적도 있었다.

나는 그 숲을 처음 보았을 때부터 줄곧 그 숲속이 궁금했었다. 하지만 어쩐지 M의 말이 내 발목을 잡았고 그때껏 그 숲에 들어가본 적이 없었다. 창가에 서서 숲에 눈길을 주고 있을 때 새로운 이메일이 도착했다는 신호음이 울렸다.

그였다. 월든을 다녀온 뒤 그에게서 한동안 소식이 없었다. 그가 보낸 이메일을 확인한 순간, 가슴이 아려왔다. 겨우 가라앉힌 마음이 다시 흔들렸다.

오랜만이죠?

지난번에 주리 씨 앞에서 어린애처럼 떼를 썼더군요. 부끄러움에 다시는 연락하지 않으려고 했어요. 그러나 생각대로 되지 않네요. 이즈음 주리 씨의 꿈을 자주 꾸었습니다. 때로는 나도 모르게 주리 씨의 집 방향으로 차의 핸들을 꺾다가 놀란 적도 있었지요. 이런 끌림은 처음입니다.

'소식을 주고받지 않으면 마음에서 멀어지겠지.' 이런 생각으로 버텼지만 소용없었습니다. 매일 하루의 끝에서 돌이켜보면 단 한 번이라도 주리 씨 생각을 하지 않은 날이 없었으니까요. 아니, 한 번뿐만 아니라 틈만 있으면 주리 씨 생각이 비집고 들어왔던 것 같습니다. 그리고 가끔 이런 생각을 한 적도 있습니다. 주리 씨도 내 생각을 할까, 내 소식을 기다릴까, 만일 그러지 않았다면 또다시 용서를 구합니다.

주리 씨와 꼭 같이 가고 싶은 곳이 있습니다. 이상의 부인이었던 L의 묘소가 뉴욕에 있어요. 우리 함께 그곳에 가서 그들의 무덤에 수선화 한 다발을 놓고 옵시다. 허락하신다면 돌아오는 주말에 집 앞으로 가겠습니다.

연락을 기다리며,

김준후

나를 잊지 않았다는 그의 말에 잠깐이나마 마음이 들떴다. 그러나 그에게 선뜻 답장을 쓸 수 없었다. 나는 뜬금없이 날아든 소식에 무작정 기뻐할 만큼 어린 나이가 아니었다. 무엇보다 자기의 감정에만 충실한 듯 보이는 남자의 행동이 부담되었다. 선뜻 길을 따라 나섰다가 돌이길 수 없는 낭패감을 맛보고 싶지 않았다. 그런 실수는 한 번으로 충분하다는 생각이 스쳤다.

하지만 오후 내내, 그의 이메일이 신경을 긁어댔다. 번역에도 집중이 되지 않았다. 창밖에 어둠이 달라붙자 더 이상 일을 진행할 수 없었다. 나는 일찌감치 불을 끄고서 잠을 청했다. 잠이 들면 생각의 스위치도 꺼지기를 바랐다. 그러나 잠은 쉽게 오지 않았다. 캄캄한 어둠 속에서 오히려 그의 생각이 더욱 또렷해졌다. 결국 긴 밤이 지나가기 전, 나는 그만 항복을 하고 말았다. 그가 이긴 것이다.

그에게 답장을 썼다. 뉴욕에 가겠다는 내용이었다. 답장을 보낸 것을 후회하게 될지 모른다는 불안을 떨치지 못했지만 감정이 의지를 밀어내고 말았다.

밤사이에 눈은 그쳐 있었다. 눈구름이 걷히고 해가 나오니 모든 게 선명해 보였다. 마치 잿빛 필터를 통해 세상을 보다가 그 필터가 사라진 느낌이었다.

약속 시간 전이었지만 집 밖에서 그를 기다렸다. 추위가 가시지 않아 코끝이 얼얼했다. 그것은 기분 좋은 자극이었다.

길 건너편에서 푸른 하늘을 향해 빨간 풍선 하나가 가볍게 떠올랐다. 엄마와 길을 건던 사내아이가 놓친 풍선이었다. 아이는 까치발을 들고 손을 위로 뻗어 풍선을 잡으려 했지만 너무 늦어 보였다. 풍선이 지붕 위로 날아오른 것이다. 그때 눈에 익은 자동차가 엔진 소리를 내며 다가와 내 앞에 섰다. 그의 자동차였다.

오랫동안 세차를 안 했는지 이리저리 진흙이 튀어 얼룩이 심했다. 나는 고개를 빼어 그의 얼굴을 확인하고는 그가 차에서 내리기 전 재빠르게 조수석 문을 열고 올라탔다.

"안녕?"

그가 인사를 건네며 어색하게 웃었다. 그간의 감정을 숨긴 웃음이었다.

"네……."

나 역시 안전벨트를 매며 가장 단순한 말로 인사를 대신했다. 그는 지난번처럼 목이 늘어난 회색 스웨터를 입고 있었다.

"두 번째 데이트?"

그가 나를 쳐다보며 말했지만 나는 앞으로 시선을 둔

채 그저 조금 웃었다. 그의 눈을 마주 볼 자신이 없었다. 그 눈빛에 갇히면 영원히 헤어 나올 수 없을지도 모른다는 예감이 들었다.

히터가 틀어져 차 안의 기온은 알맞게 따듯했다. 그가 건네주는 커피를 받아 한 모금 마셨다. 첫날처럼 약간 묽은 아메리카노였다.

"언제쯤 도착하죠?"

차가 고속도로로 진입하는 걸 보며 내가 물었다.

"지금이 여덟 시니까, 열두 시쯤?"

그의 말이 반말과 존댓말의 그 어디쯤에서 묘하게 줄타기를 하는 듯 들렸다. 내가 쳐다보자 그가 입꼬리를 올리며 웃었다. 내게 거리감이 느껴진다며 말을 편히 놓으라고 했다. 하지만 나는 그럴 수 없었다. 나보다 나이 어린 사람에게도 말을 쉽게 놓지 못하는 버릇에 존댓말이 습관이 되었기 때문이다.

그가 액셀을 조금 세게 밟았다. 크르릉, 엔진 소리와 함께 속도계의 눈금이 올라갔다.

그를 기다리던 며칠 동안의 불안이 출발과 동시에 사라졌다. L의 노트를 읽어서 그런지 나는 그녀의 무덤에 가는 길이 설렜다.

나는 그때껏 온기가 남아 있는 커피 잔을 두 손으로 감싸 쥔 채 눈앞의 도로를 응시했다. 길은 가도 가도 끝없이 이어져 있었다. 길과 나무와 집들이 하얀 눈을 흠뻑 쓰고 있는 설경은 그대로 한 폭의 풍경화였다. 풍경화 속을 달리는 기분은 아늑했다. 무엇보다 혼자가 아니라는 느낌이 좋았다.

"《그리스인 조르바》라는 책 읽었어요?"

오붓한 상념에 잠겨 있을 때 뜬금없이 그가 물었다. 나는 언젠가 본 영화를 떠올렸다. 안소니 퀸이 조르바 역할로 나온 영화였다. 내가 영화로 본 적이 있다고 하자 그가 고개를 저었다.

"보여주기 식의 영화는 조르바라는 인물을 제대로 살리지 못해요. 조르바는 상상력을 동원시켜야 비로소 생생해지거든."

어쩌면 그의 말이 옳을지도 모른다는 생각이 들었다. 명화의 반열에 오를 만큼 알려진 영화였지만 재미도 큰 감동도 느끼지 못했다. 다만 몇 가지의 장면들, 가령 주인공인 조르바가 질그릇을 만들기 위해서 물레를 돌려야 하는데 새끼손가락이 거치적거려 도끼로 내리쳐 잘랐다거나, "중요한 것은 오늘 이 순간에 일어나는 일"이라는 대사. 그리고 바닷가에서 산투르라는 악기를 연주하며 춤을 추던 조르바의 모습 정도가 기억에 남아 있었다. 안소니 퀸이란 배우가 너무도 친숙해서 오히려 조르바 역할의 몰입을 방해했다. 그런 생각을 하고 있을 때 그가 다시 조르바 이야기를 꺼냈다.

"조르바는 매 순간을 열심히 살았어요. 구멍이 숭숭 뚫린 상처투성이 심장으로도 사랑할 땐 사랑에 열중하고, 악기를 연주할 땐 아무리 시끄러운 소리도 듣지 못할 정도로 집중했고. 사람의 본질에 충실했다고 해야 하나. 나는 《그리스인 조르바》를 쓴 니코스 카잔차키스라는 작가가 궁금해서 그가 말년에 쓴 글을 찾아 읽었어요. 그의 마지막을 통해 그가 어떻게 살았는지 확인하고 싶었거든. 그런데 실망시키지 않았어요. 그가 쓴 글과 그의 삶이 일치했어요. 정말 고맙더라고요. 공허한 말장난으로 지적인 광대놀음이나 일삼는 사람의 글과 달리 그의 글은 살아있었어요. 적어도 누군가에게 '네 마음이 원하는 대로 그 삶을 살아라, 미쳐라', 그런 열정이야말로 삶을 채우는 정수라는 걸 자기의 삶을 통해 제대로 보여주었으니까."

나는 주술에 걸린 듯 그의 이야기에 빠져들어갔다. 그런 종류의 대화를 한 게 얼마 만인지 가늠조차 되지 않았다. 나는 조르바라는 인물보다 내 곁의 그 사람이 더 궁금해졌다. 알아갈수록 더 알고 싶은 욕구가 생겨난 것이다. 반가웠다. 그가 차갑게 식어버린 내 열정에 불을 지피고 있었다.

"주리 씨는?"

나는 혼자 생각에 빠져 있다가 그의 말에 퍼뜩 정신을 차렸다.

"아, 주리 씨의 스승이 누구인지 물었어요. 주리 씨를 볼 때면 독특한 기운이 느껴져서 대체 어떻게 살아왔기에 그럴까, 궁금했거든."

그의 말에 나도 모르게 얼굴이 달아올랐다. 그가 생각하는 것과 달리 나는 지극히 평범한 사람이기 때문이었다. 그때 문득 어려서 읽은 책《갈매기의 꿈》이 떠올랐다.

먹이를 구하는 일만 배우는 다른 갈매기와 달리 높이 나는 연습에 빠져 결국 무리에서 쫓겨난 갈매기 조나단의 이야기. 조나단은 실망하지 않고 위대한 갈매기인 치앙을 만나 시공을 넘나드는 비행을 배워 진정한 리더가 되었다는 내용이었다. 내성적이어서 늘 혼자였던 어린 내게 갈매기 조나단이 위로가 되곤 했었다. 그러나 나는 그 말을 입 밖에 내지 않았다.

천 일이 지나도 끝날 것 같지 않던 이야기에 빠져 있다 보니 어느덧 뉴욕 표지판이 나왔다.

차가 고속도로를 벗어나 한적한 길로 들어섰다. L의 묘소에서 멀지 않은 곳이었다. 앞에 터널이 보였다. 길이가 백 미터나 될까. 입구에서 출구의 구멍이 동그랗게 보이는 작은 터널이었다. 그는 이야기에 열중하느라 터널을 의식하지 못한 듯했다.

차가 터널 속으로 들어섰을 때 그가 갑자기 당황해하며 급브레이크를 밟았다.

그 때문에 차가 위태롭게 휘청거렸다. 차는 몇 미터쯤 스키드 마크를 내며 미끄러지더니 터널의 벽 앞에서 아슬아슬하게 멈춰 섰다. 그때 지나가는 차량이 없어서 다행이었다. 운이 좋았다. 그와 나는 서로의 얼굴을 바라보며 동시에 안도의 한숨을 쉬었다. 겨우 정신을 가다듬고 터널을 빠져나왔지만 그의 표정이 어두웠다.

"터널에 들어서는데 갑자기 눈앞이 캄캄해졌어요. 그나저나 많이 놀란 거 아닌가? 괜찮은 거죠?"

나는 조금 웃어주는 것으로 그를 안심시켰지만 내심 걱정이 되었다. 눈 검사를 받아보는 게 좋을 것 같다고 말했지만 그는 대수롭지 않게 넘겼다.

터널에서 얼마 떨어지지 않은 곳에 우리의 목적지가 있었다. 맨해튼 북쪽의 켄시코 시립 공동묘지였다. 영국식으로 지은 본관과 몇 개의 석조 건물들, 얼어붙은 작은 호수를 가로지르는 다리까지 모두 하얀 눈에 덮여 있었다. 키 작은 상록수를 마치 호위무사처럼 거느린 비석들이 모인 곳에 그가 차를 세웠다. L이 잠든 곳은 허드슨강이 낮게 내려다보이는 곳이었다. 이상과 사별한 후에 만난 K화백의 곁이었다.

하늘은 잿빛으로 잔뜩 움츠려 있었다. 3월이었지만 대서양의 찬 바닷바람이 거침없이 몸 안으로 파고들었다. 그는 준비해온 수선화 한 다발을 두 사람의 비석 앞에 내려놓고 코트의 주머니를 뒤졌다. 주머니에서 파란색 담뱃갑이 나왔다. 그는 거기서 담배 한 개비를 꺼내 손가락에 끼우고는 입에 물었다. 그리고 바람을 막으려는 듯 손을 오므려 라이터의 불을 붙인 뒤 한 모금을 깊게 들이쉬었다. 담배의 끝이 빨갛게 타오르며 빛났다. 그는 다시 한 번 담배를 피웠다. 그의 행동은 마치 의식을 치르는 듯 서두르지 않고 경건했다. 그의 입에서 나온 하얀 연기가 공중으로 흩어졌다. 마른 풀이 탈 때처럼 독특한 냄새가 났다.

"골루아즈예요. 생전의 K화백이 가장 좋아하던 담배죠."

그는 주변에서 작은 돌멩이를 찾아 비석 앞에 제단처럼 놓고는 그 위에 불붙은 담배를 조심스럽게 올려놓았다.

"자주 오셨나 봐요?"

내 말에 그의 눈썹이 꿈틀거렸다. 잠깐 생각하는 눈치였다.

"글쎄. 어쩌면 여기서 이상의 흔적을 찾고 있는지도 모르죠. 미아리 공동묘지가 훼손되는 바람에 흔적도 없어진 이상에 대한 안타까움 때문에?"

담뱃불이 사그라지자 그는 새로이 한 개비를 꺼내어

불을 붙였다. 그리고 같은 자세로 연기를 후욱 내뿜은 뒤 다시 작은 돌멩이 위에 얹어놓았다.

“향이 특이하네요? 한 번도 맡아본 적 없는 것 같아요.”

담배를 피워본 적은 없지만 왠지 그 향이 싫지 않았다. 공중으로 퍼지는 푸른 연기를 보고 있을 때 그가 골루아즈 담뱃갑을 내게 건넸다.

“한번 피워 볼래요? 좀 쓰고 독하긴 하지만 맛은 자연스러운데.”

나는 그가 건넨 골루아즈 담뱃갑을 이리저리 살펴보았다. 담뱃갑에는 날개 달린 투구의 로고가 화려하게 그려져 있었다.

“프랑스 담배예요. 카뮈나 조지 오웰, 사르트르도 즐겨 핀 국민 담배래요.”

내가 담뱃갑을 가져도 되느냐고 묻자 그가 흔쾌히 고개를 끄덕였다.

L의 비석에는 그녀의 이름이 영문으로 새겨져 있었다. 그녀의 비석을 바라보며 내가 말했다.

“두 번이나 천재 예술가와 맺어진 걸 보면 그녀는 보통 사람이 아닌 듯해요.”

그가 허공을 바라보더니 쓸쓸한 웃음을 지었다.

"똑똑한 여자였지요. 천재를 알아보았으니까."

담배꽁초의 불이 완전히 꺼진 것을 본 뒤 우리는 그곳을 떠났다.

우리는 뉴욕 시내로 들어섰다. 교통 사정은 듣던 것처럼 좋지 않았다. 가다 서다를 반복하며 간신히 32가 스트리트의 오래된 곰탕집에 도착했을 때는 짧은 겨울 해가 빌딩 숲 너머로 떨어지고 있었다.

"뉴욕에 올 때마다 들르는 집입니다. 어머니의 곰탕처럼 국물 맛이 담백해요."

그가 가족 이야기를 꺼낸 것은 처음이었다.

"어머님께서는 서울에 계신가요?"

그는 고개를 좌우로 흔들며 부모님은 안 계신다고 했다.

"두 분은 몇 년 간격으로 다 세상을 떠나셨어요. 나 혼자 남은 거죠."

그때 뚝배기에 담긴 곰탕이 나왔다. 그의 말대로 담백한 국물에 육수 특유의 단맛이 느껴졌다. 뚝배기가 비어

갈 즈음 그가 다시 어머니 이야기를 꺼냈다. 어릴 때 먹던 곰탕의 맛 때문에 어머니에 대한 기억이 새삼 떠올랐는지도 모르겠다.

“어머니가 계시지 않으니 마음 둘 곳이 없더군요. 그래서 서울을 떠났어요. 어머니를 잃고 나서야 알게 된 거죠. 어머니가 고향이라는 걸.”

그의 표정에서 쓸쓸함이 묻어났다.

나는 고향이라는 말의 의미를 곱씹어 보았다. 무엇이 고향일까. 단순히 물리적인 장소인가? 그의 말처럼 어머니가 있는 곳이든 물리적인 장소이든 내 고향은 아직 건재하다는 게 나를 안심시켜주었다.

어머니가 있는 내 고향의 집은 지은 지 백 년은 족히 되는 낡은 한옥이다. 집의 동쪽으로는 느린 걸음으로 걸어도 10분 안에 창덕궁의 담장이 나온다. 서쪽으로는 경복궁이 자리 잡고 있다. 창덕궁의 뜰인 비원 옆으로는 원소동과 계동이 있다.

내가 어릴 때 우리 집 주변의 가회동과 삼청동, 화동 등에는 친가와 외가 사람들이 흩어져 살았다. 집안의 어른들은 사이가 좋아 서로 왕래가 잦았다. 그들은 명절뿐 아니라 집안의 대소사에도 자주 모였다. 자연스레 우리 집은 사랑방이 되었다. 계동의 어느 집에 정치인 아무개가 첩을 들였다는 소식은 그녀가 골목으로 이사 오기 전에 이미 우리 집 안방에 날아들었다.

집과 담장을 사이에 두고 창덕여고가 있었다. 등교 시간이면 베레모를 쓰고 잘록한 허리를 강조한 교복 차림의 여학생들의 재잘거리는 소리가 우리 집 안방에도 들렸다. 아버지는 그 소리가 참새 소리 같다고 했다.

창덕여고 학생들의 베레모는 빵떡모자 또는 고바우모자라고 불렸다. 당시 신문에 연재되던 시사만화인 〈고바우 영감〉의 머리를 빗대어 그렇게 부른 것이다. 주인공인 고바우 영감의 머리에는 단지 한 올의 머리카락만이 있었는데, 베레모 끝에도 그런 꼭지가 달려 있어 생긴 별명이었다. 모두들 그 베레모에 대해 말들이 많았지만 어린 내겐 그녀들의 베레모가 무척이나 근사하게 보였다.

창덕여고의 운동장은 내 놀이터였다. 초등학교에 들어가기 전, 심심할 때면 운동장의 구석진 곳에서 흙장난을 자주 했다. 그러다 그 장난이 싫증나면 밑동에서부터 별

나게 둘로 갈라져 휘어진 소나무를 타고 놀았다.

그 소나무는 여느 소나무와 달리 둥치가 흰색을 띄고 있어 우리는 그 나무를 '백소나무'라 불렀다. 새하얀 눈이 쌓여서 언 것처럼 은색으로 반짝이는 나무 둥치는 몹시 미끄러워 또래 남자애들도 오르기 힘든 나무였다. 하지만 나는 나무둥치에 잘도 올라앉아 그곳에서 학교 운동장을 내려다보곤 했다. 그 나무의 수령이 육백 년 가까이 되었다니, 조선의 흥망을 고스란히 지켜본 나무일 것이다.

창덕여고의 터는 철종 때 대왕대비였던 순정왕후의 친가가 있던 자리였다. 그 집에 대원군이 자주 찾아와 백송이 보이는 사랑채에서 철종 이후의 정사를 논했다는 이야기가 전해 내려오고 있다.

6·25전쟁 때는 창덕여고와 그 뒤편에 있는 윤보선 대통령의 자택까지 인민군 병원으로 쓰였다. 학교 지붕의 적십자 표시 때문에 폭격을 당하지 않았고 덕분에 우리 집도 무사할 수 있었다.

그 당시 십 대 소년이었던 아버지는 9·28서울수복이 일어나기 직전에 인민군들이 떠나자마자 동네 사람들과 함께 창덕여고 강당에 들어갔다고 했다. 혹시라도 그들이 남기고 간 식량을 구할 수 있을까 해서였다. 하지만 찾는 양식은 없고 침상마다 인민군들의 시체가 놓여 있었다고 했다. 그들은 북쪽으로 후퇴하기 전에 부상당한 인민군들을 안락사시킨 뒤 인공기로 덮어놓고 간 것이다.

동네의 집들은 번지수로 불리기보다 그 집에 사는 사람들의 이름이나 직위, 또는 그 집의 특이점으로 불렸다. 예를 들자면 경기고등학교의 교장집이니 우물집이니 또는 쌍둥이네집 등이었다.

계동에서 원서동으로 넘어가는 고갯길 중턱에는 몽양 여운형의 집이 있었다. 그는 조선중앙일보 사장 시절부터 혜화동 사거리에서 총 맞아 죽을 때까지 그 집에 살았다. 사람들은 그가 죽고 나서 세월이 한참 흘러도 그 집을 여운형네집이라 불렀다. 어른들에 의하면 여운형은 감색 벨벳 망토에 지팡이를 짚고 다니는 멋쟁이였고 그의 죽음에는 이승만이 관여되었다고도 했다.

그리고 계동의 옛 휘문고등학교 뒤쪽에는 《임꺽정》을 쓴 벽초 홍명희가 살던 집이 있었다. 큰아들인 홍기문의 재혼으로 다툼이 일어나 홍명희는 작은아들인 홍기무와 그곳에서 함께 지냈다고 했다. 그 집의 담장과 휘문고 야구장이 붙어 있어 동네 아이들은 학교 운동장에서 야구를 하다가 종종 그 집의 장독을 깨뜨렸다. 그럴 때마다 콧수염을 기른 홍명희가 지르는 고함 소리에 모두 혼비백산해서 도망치곤 했다는 말을 해준 사람은 아버지였다.

아버지와 홍명희의 손자는 재동초등학교 동창이었다. 6·25전쟁이 시작되기 두 해 전쯤, 홍명희의 손자가 학교에 계속 나오지 않았다. 담임선생님과 함께 그 집을 찾아갔더니 대문에 큼지막한 나무가 X자로 박혀 있었다고 했다. 그도 가족과 함께 월북한 것이다. 그 이후에 전쟁이 터지자 월북했던 그의 삼촌이자 홍명희의 큰아들인 홍기문이 팔로군 오토바이를 타고 동네에 나타났다. 그의 말 한마디로 동네 사람들의 생사가 갈렸다고 전해진다. 우리 친척 어른들 몇 명도 그때 화를 당했지만 시체도 찾지 못했다. 그 뒤부터 우리 동네 골목집들은 한낮에도 대문의 빗장을 걸었다고 했다. 가족이나 친인척이 아닌 그 누구도 믿지 못하게 된 것이다.

유엔군이 인천에 상륙한 뒤 수세에 몰리자 그들은 서울을 떠나 북으로 돌아가기 전에 미처 피난 가지 못하고 남은 각계의 유명 인사들, 학계나 문화계의 명사들을 창덕여고 운동장으로 불러 모았다고 했다. 모인 사람들 중에는 영문도 모른 채 가족들과 저녁 식사를 하다가 불려 나온 사람들도 있고 심지어 자다가 아내가 흔들어 깨워 나온 사람도 있다고 했다. 그렇게 모인 사람들은 줄줄이 굴비처럼 엮여 다시는 돌아오지 못할 북으로 끌려가거나 시인 정지용처럼 납북되는 길에 폭격으로 죽었다는 둥 한 집 걸러 초상이었다는 아버지의 말이 실감났다.

서울이 유엔군에 의해 수복되기 직전, 동네의 골목길마다 대열에서 낙오된 인민군 병사들이 혼비백산해서 북쪽이 어디냐 묻고는 삼청동 너머의 산속으로 들어갔다고 했다. 홍명희의 일가족도 다시 북으로 갔는데 홍명희의 딸이 김일성의 두 번째 부인이 되었다는 소문도 돌았다.

우리 집은 몇 대에 걸쳐 사는 동안 기와를 새로 갈고 부엌이나 화장실을 고치는 정도의 수리는 했지만 아직도 옛 모습을 지키고 있다. 나무 대문을 밀고 안으로 들어서면 오른쪽에 작은 행랑방이 있고 행랑방과 안채 사이에는 늘 열려 있는 중문이 있다. 매끄럽게 닳은 문턱을 넘어서면 광과 장독대가 있는 작은 마당을 사이에 두고 기역자로 된 안채와 거기서 우측으로 몇 걸음 떨어진 곳에 집의 내방객들이 주로 사용하는 방 두 칸짜리 사랑채가 있다. 이 집에서 내 할아버지와 아버지가 태어났다니 나까지 무려 삼 대가 태어나고 자란 곳이다.

아버지는 형제가 유난히 많았다. 아들 다섯에 딸 여섯. 그중에 아버지가 장남이었다. 집안의 크고 작은 일이 있을 때마다 마루 밑의 댓돌 주변에는 흩어진 신발이 헤아릴 수 없이 많았다. 그 신발의 짝을 맞추어 가지런히 놓는 것이 어린 내게는 쉬운 일이 아니었다.

몇 평 되지 않은 작은 뒤뜰에는 제법 소담스럽게 자란 능금나무가 몇 그루 있어 사람들은 우리 집을 능금나무 집이라 불렀다. 내 위로는 네 살 터울인 오빠가 있었다. 나보다도 길고 가지런한 속눈썹을 가진 오빠였다.

나는 서울 한복판의 내 고향 이야기를 그에게 들려주었다. 몇 대에 걸쳐 이어진 흥망의 역사를 다 말할 수는 없었지만 단단하던 중문 턱이 닳도록 우리 집을 드나들던 사람들의 이야기였다. 그는 서울 한복판에 그런 집이 남아 있다는 것을 놀라워했다. 뒤뜰의 능금나무가 그때껏 있는지 물었고 언젠가 그 맛을 보고 싶다고 했다.

식사를 마치고 나오니 사방에 어둠이 깔리기 시작했다. 그는 주차장에서 차를 빼려다 우뚝 멈춰 섰다. 그러더니 손등으로 몇 번인가 눈을 비벼댔다.

"일찍 떠날 걸 그랬나? 다른 차 불빛이 오늘따라 유난히 눈이 부셔서요."

어딘가 자신 없는 그의 말에 나도 적잖이 걱정이 되었다. 뉴욕에서 보스턴으로 돌아가려면 짧지 않은 시간을 가야 했기 때문이다. 내가 운전하겠다고 나섰지만 그는 고개를 가로저었다.

그렇다고 호텔을 갈 주변머리도, 차 안에서 밤을 새울 배짱도 없었다. 영하의 날씨에 설령 히터를 틀며 견딘다고 해도 다음 날의 컨디션을 생각하니 아득했다. 그때 내 머릿속을 스친 생각은 찜질방이었다. 뉴욕에도 한인이 경영하는 24시 한국식 찜질방이 있다고 들은 적이 있었다. 우리는 거기서 하룻밤을 보내기로 결정했다. 구글 검색으로 찾아낸 찜질방은 우리가 있는 곳에서 이십 분 거리였다.

각자 샤워를 한 뒤 우리는 이 층의 찜질방에서 만났다. 반팔과 반바지 차림이었다. 찜질방에 처음 왔다는 그의 등을 떠밀어 그곳에서 가장 뜨거운 방인 숯가마 안으로 들어섰다.

한 평이 조금 넘는 작은 방 안에 수건을 머리에 뒤집어 쓴 사람들 몇 명이 땀을 흘리고 있었다. 벌겋게 달아오른 그들의 얼굴에서 굵은 땀방울이 쉴 새 없이 떨어졌다. 우리도 그들 곁에 책상다리를 하고 앉았다. 후끈한 열기에 숨쉬기조차 힘들었다. 어떻게든 열기를 막아보려고 우리도 바닥에 쌓여 있는 수건을 집어 머리 위에 둘러썼지만 도저히 그 뜨거움을 견디기 힘들었다. 그는 얼마 안 있다가 그 방을 뛰쳐나가며 아이처럼 웃었다. 나도 곧 그 뒤를 따라 나왔다.

"아직 땀도 나지 않았는데 나오면 어떡해요?"

내 말에 그는 고개를 절레절레 흔들었다.

"도대체 다들 왜 이런 고생을 하는 거죠? 너무 뜨거워서 살갗이 익는 것 같아요."

"나도 잘 몰라요. 그렇게 땀을 빼면 몸의 독소가 빠져

나가 피로가 풀린다고 하는데 그렇게까지 견디어본 적이 없으니까요."

우리는 그 옆에 있는 황토방으로 들어갔다.

"이 방은 따뜻해요. 오래 있으면 땀이 조금 날 거고 그런 뒤에는 몸이 가벼워져요."

그는 의심의 눈초리를 거두지 않았지만 내가 먼저 들어가니 순순히 따라 들어왔다. 그곳의 온도는 적당했다. 무엇보다 아무도 없어 우리는 자유롭게 이야기하고 장난을 치기도 했다. 우리는 서먹한 기분을 없애려고 계속 장난을 쳤던 것 같다. 하지만 어느 순간부터 졸음이 몰려왔다. 방 안의 따뜻한 기온에 몸이 노곤해진 것이다. 어떻게든 눈을 뜨고 있으려 했지만 눈꺼풀은 속절없이 자꾸만 감겼다. 그런 내 모습을 보던 그가 큰 수건을 돌돌 말아 베개를 만들어 주며 잠깐 눈을 붙이라고 했다. 그가 곁에 있는데 잠을 잔다는 게 못내 내키지 않았지만 내 몸은 속수무책으로 무너졌다. 이른 아침부터의 강행군에 피곤이 몰린 것이다.

얼마쯤 잠을 잤을까. 정신이 들며 그때의 상황이 생각났다. 꿈인가 싶었다. 그러나 꿈은 아니었다. 내 곁에는 김준후, 그가 곤히 잠들어 있었다.

몸은 나를 향한 채 자기의 한쪽 팔을 베개 삼고 있었다. 젖은 머리를 그대로 두어서인지 고수머리가 더 도드라져 보였다. 나는 가만히 잠든 그의 모습을 바라보았다. 그는 선이 분명한 작은 입술로 푸, 숨을 뱉기도 했고 이따금 코를 가볍게 골기도 했다. 감긴 눈 밑의 두 뺨이 발그레했다. 희미한 불빛 아래 잠든 그의 모습은 몹시 사랑스러웠다. 한낮의 날카로운 지성도 거기엔 없었다. 내 곁에는 다만, 아기처럼 순해진 그가 아무 근심 없이 숨을 고르며 잠들어 있었다.

나는 그에게 눈을 뗄 수 없었다. 살집이 없는 몸에 비해 어깨는 넓고 단단했으며 팔이 길었다. 긴 팔의 끝에 있는 손바닥에 가만히 내 손바닥을 대보았다. 손바닥도 손가락도 내 것보다 훨씬 크고 길었다. 이 사람은 대체 어디 있다가 이제야 나타난 것일까. 나 없는 세월에 그는 무슨 생각으로 살았을까. 여러 가지 생각이 몰려들었다.

그때 여러 사람이 방으로 들어왔고 그 기척에 그가 눈을 떴다. 잠에서 깨어난 그의 눈빛이 더없이 맑았다. 깊고도 강렬했던 눈빛이 순해져 있었다.

"깨어나셨구나!"

나와 눈을 마주친 그가 몸을 일으키며 말했다. 그 바람에 나도 덩달아 일어났고 우리는 벽에 등을 기댄 채 앉았다. 그는 쉽사리 정신이 들지 않는 듯 몇 번인가 눈을 비볐다. 그런 그의 모습을 보다가 나도 모르게 불쑥 말이 튀어나왔다.

"준후 씨도 아는 여자 이야기인데, 들어보실래요?"

그는 무슨 말인가 싶어 나를 쳐다보았다. 나는 그의 시선을 피했다.

"그 여자의 과거 얘기예요."

조금 망설여졌지만 어렵게 꺼낸 말을 거둘 수는 없었다.

"그 여자는, 결혼에 실패한 적이 있어요. 일 년도 살지 못하고 남자에게서 버림을 받았대요."

그의 표정을 보고 싶었지만 어쩐지 두려웠다. 그러나 마음과 달리 덤덤하게 말했다. 마치 남의 이야기인 듯 말이 나왔다.

"그의 취향이 아니었다는군요. 그 점은 그 여자도 잘 알고 있었어요."

내 이기적인 고백에 그가 고개를 푹 숙였다. 그는 깍지 낀 두 손에 시선을 둔 채 한동안 꼼짝도 하지 않았다.

우리 사이에 어색한 침묵이 고였다. 그도 나도 우리를 휘감고 있는 어떤 감정을 추스를 시간이 필요했다. 나는 두 팔로 무릎을 감싸 안은 채 눈을 감았다. 그의 과거가 어떻든 먼저 고백해서 마음의 짐을 내려놓고 싶었다.

얼마간 시간이 흘렀을 때 그의 한 팔이 내 어깨를 감싸 안았다. 어떤 떨림이 느껴졌다. 그가 떨고 있는 건지 아니면 내가 떨고 있는 건지 구분이 되지 않았다. 그가 조금 더 힘을 주어 나를 자기에게로 끌어당겼다. 내 몸이 저절로 그에게 기울었다. 우리는 그렇게 한참이나 더 앉아 있었다. 아무런 말은 없었지만 오히려 그 고요함 속에 많은 이야기가 출렁거렸다. 그간의 외로움을 밀어내고 알 수 없는 기쁨이 들어차고 있었다.

8
L의 노트 4

이상은 먼저 와 기다리고 있었다. 평소처럼 밤색 두루마기 한복 차림이었지만 얼굴이 상기되어 보였다. 혹시라도 내가 안 나올까, 밤새 잠들 수 없었다고 하였다. 창백할 정도로 하얗게 보이던 얼굴은 수줍게 달아올랐고 눈꺼풀이 세 겹으로 진 눈은 움푹 패어 있었다. 나는 그의 충혈된 눈을 바라보다가 웃음을 터뜨렸다. 나는 하겠다고 마음먹으면 무슨 일이 있더라도 해내는 사람이었다. 내 웃음에 적잖이 안심된 듯 그가 두 팔을 휘적거리며 앞장서 걸었다. 나도 그를 따라 걸었다. 그 길의 끝에 어떤 일이 있을지 알 수 없었다. 마음을 모질게 먹고 집을 뛰쳐나왔지만 겁도 났다. 불안한 마음을 밟으며 타박타박 그를 따라갔다. 걸음은 돌이킬 수 없었다.

우리가 늘 걷던 벌판과 방풍림을 한참 지나자 작은 개울이 나왔다. 개울 건너 나지막한 언덕이 있고 그 주변으로 집 몇 채가 납작 엎드려 있는 게 보였다. 개울가의 작은 집 앞에서 걸음을 멈춘 그가 사립문을 밀고 들어섰다.

비록 단칸방이었지만 그와 함께 있어 좋았다. 원앙금침은 아니었지만 그가 준비해놓은 침구와 간단한 살림살이도 있었다.

별다른 가구는 필요 없었다. 내가 가방 속에 넣어온 책 몇 권으로 소박하게 침실이 장식되었다. 즐겨 읽던 나혜석의 산문집과 소설 몇 권 그리고 영어와 프랑스어 사전들을 가지런히 나열하여 책꽂이를 만들어놓자 이상은 만족해하였다.

그 개울가의 작은 집에서 이십 대의 우리는 밤낮 없이 사랑을 하였다. 달빛이 그윽한 밤이면 달빛에 취하였고 태양이 지글거리는 대낮이면 방문을 걸어 잠그고 밤에 못 잔 꿀잠을 즐겼다. 그러다 간간이 개울가에 나가 물장난을 치거나 목욕을 하였는데 몸을 씻고 나면 그가 내 머리를 감겨 주었다. 그의 손길은 무척이나 조심스러웠다. 머리를 감긴 뒤 참빗으로 내 머리를 빗겨 주다가 나와 눈이라도 마주치면 멋쩍은 듯 피식, 웃곤 하였다. 겨우 무릎 정도 깊이의 얕은 개울이었지만 물살은 거세었다. 폭우라도 쏟아진 밤이면 그 물소리가 얼마나 거친지 방 안에서도 크게 들려 집이 떠내려가지는 않을까, 그 걱정에 잠을 설친 적도 있었다.

집안일을 해본 적이 없었지만 나는 그를 위해 밥을 짓고 개울가에서 빨래를 하였다. 하지만 내가 만든 반찬이 입맛에 맞지 않았는지 반찬만큼은 그가 직접 만들었다. 가끔은 소의 뼈를 고아 곰탕을 만들어준 적도 있었지만 나는 그 누린 기름과 역한 냄새를 견디지 못하여 곰탕 국물을 몇 술 뜨는 척하다가 슬며시 숟가락을 놓곤 하였다. 이상은 소의 내장 요리를 즐겼다. 소의 간이나 천엽으로 만든 안주에 막걸리 한 사발이면 그의 칼칼한 목소리는 점차 낮고 음울해져갔다. 그 밤들에 우리는 자주 도스토옙스키나 고리키 등의 러시아 문학과 영문학에 대해 이야기를 주고받았다. 그는 때로 가슴 저 깊은 곳에서 치미는 울분을 보이며 평소 하지 않던 이야기들을 꺼내기도 하였다.

이상은 자신의 시 〈오감도〉가 〈조선중앙일보〉에 연재되었다가 중단된 것에 대해 몹시 상처를 받은 듯 보였다. 그는 〈오감도〉를 통해 조선을 침탈한 일본의 만행과 그 만행에 시달리며 우왕좌왕하는 조선의 순진한 백성을 보여주고자 하였다.

〈오감도〉의 시 제1호는 까마귀의 시선으로 도심의 골목 풍경을 보여준 시다. 동양의 사람들이 불길하게 여기던 까마귀에 서양의 불길한 숫자 13을 더해 그 시대의 불안을 그려낸 것이다. 순진한 아해들의 유희는 점차 공포로 변하였고 달아났지만 마땅히 숨을 곳이 없었다. 시 속의 아해들은 바로 그 시대를 살던 우리들이었다. 사람들 내면의 불안한 에너지를 언어로 그려낸 그 시는 서사와 형체가 없이 색과 선만으로도 충분히 아름다운 추상화가의 그림처럼 보였다. 나는 그 시에서 이상의 천재를 보았다.

〈오감도〉가 신문에 몇 편인가 실리다가 중단되었을 때 이상은 외로움과 절망을 동시에 느꼈다. 현실은 암울하였고 앞이 보이지 않았다. 어딘가 탈출구가 필요하였다. 그는 그의 천재를 알아줄 넓은 곳으로 떠나고 싶어 하였다. 나는 그에게 일본으로 가자고 말하였다. 유럽의 문화를 일찌감치 받아들여 조선보다 먼저 개방이 되었던 곳, 그곳을 발판으로 유럽으로 떠나자는 내 제안에 그는 고개를 끄덕였다. 그 말에 마치 폭발할 듯 차오르던 울분이 슬며시 가라앉았다. 그렇게 그는 차츰 정신적인 안정을 찾아갔다.

어느 날엔가 먹을거리가 다 떨어졌다. 이상은 장도 볼 겸 시내에 나가자고 말하였다. 그동안 개울가의 작은 집에서 꼼짝 않고 지내느라 친구들의 소식도 궁금할 터였다. 나는 그를 나에게 묶어두고 싶지 않아 혼자 다녀오라고 하였다. 밤색 두루마기 한복 차림의 이상이 외출 준비를 마치고 나를 쳐다보았다. 모처럼 수염을 시원하게 깎아 턱 밑이 푸르스름하였다.

개울가에서 그를 배웅하고 돌아서는데 어디선가 뻐꾹새 울음소리가 처량하게 들렸다. 그날따라 개울물 흐르는 소리도 잦아들었다. 갑자기 온몸에서 힘이 쭉 빠졌다.

집을 떠나 이상과 함께 보낸 시간이 꿈처럼 흘러갔다. 나는 크게 심호흡을 몇 번 하였다. 언제까지나 그렇게 살 수만은 없었다. 나는 방 안으로 들어가 밥상으로 쓰는 작은 소반 위에 빈 원고지를 펼쳐놓았다. 예전에는 빈 원고지를 볼 때마다 그걸 채울 생각에 막막함이 앞섰는데 그날은 달랐다. 펜을 잡은 손이 격정적인 마음을 따라 가지 못해 답답하였다. 개울가 작은 집에서 지내며 느낀 단상이 고스란히 원고지 위에서 내달렸다. 그렇게 수필 한 편이 완성될 즈음 그가 돌아왔다.

이상은 종로통의 소식을 전해주었다. 그와 나의 일이 스캔들로 번져 소문이 자자하다고 하였다. 내 오빠는 이상이 나를 유혹해서 가출시켰다며 흥분하였고 다른 친구들도 모두 걱정을 하고 있다며 미안한 표정을 지었다. 하지만 내 결심은 흔들리지 않았다. 나는 이상, 그를 알아버렸다. 그에겐 내가 필요하였다. 천재 이상을 조련할 수 있는 사람은 바로 나라고 확신이 들었다.

9

뿌리와 가지처럼

——————— 날씨는 하루가 다르게 푸근해지고 있었다. 응달진 곳은 잔설이 쌓여 있지만 햇살이 닿는 곳에는 양지꽃이 해맑게 피어 마당을 노랗게 물들여 갔다. 우중충하던 마당 뒤편의 숲에도 밝은 기운이 들어찼다. 그곳에서 바람이 나뭇가지를 간질이며 놀았다. 뒷마당의 늙은 뽕나무 새 둥지에는 그동안 식구가 늘었다. 검은 새가 나갔다가 돌아오면 아기 새들이 고개를 둥지 밖으로 내밀고 소란스럽게 먹이를 받아먹는 모습이 간간

이 눈에 뜨였다.

뉴욕 여행에서 돌아온 뒤 그는 매일 아침 인사가 담긴 메시지를 보내왔고 밤이면 통화를 원했다. 그 통화는 내가 잠들 때까지 몇 시간이나 계속되기도 했다. 별로 특별한 말이 아니었는데도 그가 툭 던진 말 한마디에 곧잘 웃음이 터졌다. 그렇게 웃는 날이 늘어났다. 내게도 사랑이 온 것이다. 그가 내 곁에 머무를 때면 얼마나 신비한 에너지가 생성되는지, 내 속의 또 다른 내가 깨어났다.

학교 수업을 마치면 나는 곧장 도서관으로 가서 시간을 보냈다. 시험이 끝나면 또다시 토론 일정과 발표와 시험이 반복되었고 틈틈이 번역 일도 있었다.

그동안 틈틈이 연구하여 발표한 논문들이 보스턴 영문학회의 인정을 받아 그의 이름이 점차 알려지고 있었다. 다니던 회사를 그만두고 얻은 시간으로 자기가 좋아하는 일에 몰두한 결과가 나타나기 시작한 것이다. 그는 가을 학기부터 보스턴대학의 강의를 맡게 되어 그 준비를 해야 했다. 우리는 밖으로 돌아다니는 대신 도서관에서 공부와 일과 연애를 했다.

수업이 없는 주말이면 그와 함께 보스턴 주변을 돌아

다녔다.

《작은 아씨들》의 저자인 루이자 메이 알코트의 생가와 《주홍글씨》의 나다니엘 호손이 살던 집, 《검은 고양이》를 쓴 에드거 앨런 포가 태어난 곳 등 여러 곳의 인문학 유적지를 답사했으나 그중에서도 시인 헨리 롱펠로가 사십 년을 살았다는 케임브리지의 집은 깊은 인상을 남겼다.

집은 남향의 평범한 목조 건물이었지만 의자가 놓인 넓은 난간이 사방에 있어 방향만 바꿔 앉으면 계절이나 시간에 상관없이 아침 해와 저녁노을을 볼 수 있는 멋진 집이었다.

프랑스어, 스페인어, 이탈리아어에 능통했던 롱펠로는 하버드대학 교수가 되어 재혼한 아내와 함께 그 집에 살았다. 그러나 아내와의 단란한 삶은 오래가지 못했다. 옷에 불이 붙어 아내가 비참하게 죽은 것이다.

그는 충격으로 심한 우울증에 시달렸다. 일체의 사회 활동을 접은 채 집에서 칩거하는 날이 늘어갔다. 하지만 그는 절망 가운데서도 주저앉지 않았다. 단테의 《신곡》을 번역하며 아내를 잃은 충격과 아픔을 이겨나간 것이다. 그 번역본은 그때껏 나온 《신곡》 번역본 중에 최고라는 찬사를 받았다.

우리는 보스턴 시내에서 출발하는 보스턴 프리덤 투어를 했다. 코먼 공원에서 시작되는 투어는 길 위의 붉은 선을 따라 걷는 것으로 시작되었다.

그 길을 따라 그곳에 처음 정착한 뉴잉글랜드 주민들의 무덤과 교회와 학교, 그리고 독립전쟁 최초의 격전지에 세워진 벙커힐 기념탑을 볼 수 있는 코스였다. 무거워진 다리를 이끌고 마침내 벙커힐 기념탑 앞에 섰을 때 그에게 물었다. 나를 왜 좋아하냐고.

"진지함?"

그가 입꼬리를 올리며 덧붙였다.

"당신처럼 진지한 여자를 본 적이 없어요. 내가 보낸 〈날개〉 번역물에 대한 답장을 받은 뒤부터 줄곧 당신이 궁금했으니까. 진지한 당신으로부터 인정받는다는 게 무척이나 기쁘고 즐거워요."

그 말을 한 뒤 그는 내 손을 잡아 자기의 코트 주머니 속에 집어넣었다.

그의 말은 나를 적잖이 안심시켜주었다. 내 진지함에 숨쉬기가 어렵다며 진저리치듯 나를 떠난 사람도 있기 때문이었다.

마치 하늘로 뻗은 나뭇가지가 햇살을 반기는 것처럼 나는 그의 지성이 반가웠다. 자기 등에 진 짐이 무엇인지도 모르고 사막을 건너는 낙타의 삶을 거부하고 스스로 자기의 길이 된 사람. 그 사람과 함께하는 동안 불투명한 미래에 대한 불안이나 걱정도 더 이상 나를 괴롭히지 않았다. 내 눈앞에 보이는 것에 최선을 다하기. 지금 이 시간을 충실하게 살기. 그가, 사랑이, 나를 성장시키고 있었다.

4월이 되었지만 거리에는 눈이 남아 있었다. 하지만 따듯한 서풍이 불었고 바람 속에 비 냄새가 묻어왔다. 비가 내리면 잔설이 녹고, 버드나무의 움이 터지며 새파란 잎이 돋아나리라 생각하니 설렜다.

그러던 어느 날, 모처럼 집에 일찍 돌아왔을 때 복도에서 재일동포 유학생 미도리와 마주쳤다. 그녀는 하숙생들끼리 모여 티타임을 갖기로 했다며 함께 가자고 졸라댔다. 그즈음의 나는 온통 준후에게 마음을 빼앗겨 지내느라 하숙생들에 대해 까마득히 잊고 있었다. 슬며시 미안한 마음이 들었다.

대충 씻고 티타임 장소로 가니 모두 자리를 잡고 앉아 벌써 차를 마시고 있었다. 나는 미도리 옆에 앉았다. 내 맞은편에 B교수가 앉아 있었지만 그는 늘 그렇듯 버버리 체크무늬 셔츠를 입고 팔짱을 낀 채 무표정이었다.

다들 조금은 어색한 표정으로 서로의 시선을 피하고 있을 때 먼저 말문을 연 사람은 집주인 M이었다. 머리카락이 한 올도 남아 있지 않은 민머리에 얼굴에는 깊은 주름이 져서 곳곳에 골이 파여 있었다.

"내 아내가 이 집에 하숙생을 들이겠다고 했을 때 아무것도 묻지 않고 찬성을 한 이유가 있었소. 아내는 경제적인 이유가 컸겠지만 나는 무엇보다도 사람 냄새가 그리웠소. 그들이 나처럼 유태인이건 당신들처럼 한국 사람이건 상관없었소. 모두 알다시피 이 동네의 집들은 방이 여럿 있고 뜰이 넓은 저택들이오. 숲속에 드문드문 자리 잡은 저택의 주인들은 멋지고 행복한 삶을 사는 것처럼 보였소. 하지만 보이는 게 전부는 아니었소. 가끔 산책길에 이웃들과 인사를 나누다 보니 그들이 몹시 외로워하고 있다는 걸 알게 되었소. 아이들이 자라나 집을 떠나면 일 년에 한두 번 찾아오는 게 고작이오. 그러다가 배우자마저 세상을 떠나면 혼자 덩그마니 남겨져버리지. 사람의 온기가 사라진 집은 한여름에도 등골이 서늘하오. 우리 옆집도 그랬소. 의사 남편이 죽은 뒤 은퇴한 오페라 가수가 몇 년째 혼자 살고 있었소. 그런데 한 달 전쯤, 폭설이 내려 며칠 집 안에 갇혀 있을 때 사고가 났소. 그 부인이 쓰레기를 버리려고 마당에 나왔다가 뒤로 넘어졌는데 일어나지 못하고 방치되었다가 그대로 세상을 떠난 거요. 구급차의 사이렌 소리가 아니었으면 그녀가 죽은 줄도 모를 뻔했소. 그녀의 시신이 실려나간 뒤 타지에 있던 자녀들이 변호사를 고용해 그 집의 가구들을 처분하는 걸 보았소. 그 부인이 생전에 즐겨 쓰던 가구들과 장식품, 그릇들, 그리고 그녀가 외출할 때 차려입던 명품 옷들이 업자들에 의해 한꺼번에 치워지고 있었지. 아마도 구호센터나 쓰레기로 나갔을 거요. 그걸 보며 두려웠소. 앞으로 닥쳐올 내 미래를 보는 듯했지. 내 집에는 늘 사람들이 북적이면 좋겠소. 누구든 여기서 사람들과 소통하며 사귈 수 있기를 바라는 거요."

M이 얼굴 가득 잔물결 주름을 만들며 웃음을 보였다. 곁에서 S가 그의 두터운 손을 두 손으로 잡아 다독였다.

우리들의 대화는 주로 한국말로 이어졌지만 집주인 M을 배려해서 가끔씩 영어로 주고받기도 했다. M은 한국 사람들에게 영어를 가르치며 얻어들은 한국어 실력이 제법 되었다. S와도 일상적인 대화는 한국말로 주고받았다. 하지만 자주 사용하지 않는 말이나 어려운 단어가 나올 때면 곁에 있는 사람들에게 통역해달라고 했다.

M의 말이 끝나기를 기다렸다는 듯 B교수가 바로 이야기를 시작했다.

"이 집을 떠나면 우리가 언제 또다시 만나겠나. 다들 각자의 자리로 돌아가 바쁘게 사느라 서로를 잊고 말겠지. 하지만 나는 여러분이 이것 하나만은 기억해주길 바라오. 우리의 이 시간 말이오. 이 시간은 우리가 한때나마 좀 더 나은 인간이 되기 위해 노력했다는 흔적이지. 이제부터 서로에게 한 수 배워봅시다."

B교수는 거기까지 말한 뒤에 차를 한 모금 마셨다. 그의 무표정한 얼굴과 건조한 말투가 묘하게도 닮아 있었다. 그는 차를 몇 모금 더 마신 후 이야기를 이어갔다.

"나는 어려서부터 종교적인 환경에서 자라났어요. 미션스쿨을 다녔고 영국에서 칠 년간 신학을 공부했지. 그리고 서울로 돌아와 대학에서 학생들을 가르치다가 교환 교수로 여기까지 온 거요. 이즈음 나이 들어 그런가, 객관적인 눈으로 나를 돌아보게 되었소. 그래서 이참에 여러분들과 내 생각을 비교해보고 싶어요. 오늘 함께 나누고 싶은 이야기는 내 전공과도 조금 상관이 있소. 아, 여러 사람이 모인 자리에서 종교나 정치 대화는 피하라고 했나? 자칫하다가 소모적인 언쟁이 되기 때문이겠지. 그래서 단지 신에 대해서만 묻고 싶소. 자기가 믿고 의지하는 신이 있는가, 그는 누구인가, 신이 없다고 생각되면 그 이유 정도는 듣고 싶소. 뭐 그런 이야기면 좋겠소. 편히 말씀해봐요. 그 누구도 완벽하진 않으니까."

먼저 말문을 연 사람은 MIT 공대생이었다. 청바지에 칼라 없는 티셔츠를 받쳐 입어 수수한 차림이었지만 까칠한 말투에 자신감 넘치는 표정을 지었다.

"저는 신이 있다고 믿지 않아요. '이례적인 주장을 하려면 이례적인 증거가 있어야 한다'고 칼 세이건이 말했죠. 살면서 여태껏 신이 있다는 증거를 확인할 수 없었어요."

그러자 미도리가 치와와 강아지처럼 눈을 동그랗게 뜨

며 그에게 물었다.

"그러면 환생에 대해서는 어떻게 생각하나요?"

그는 팔짱을 낀 채 단호하게 내뱉었다.

"환생 같은 일은 절대 없어야 해요. 사람의 생은 한 번으로 족해요. 기약할 수도 없는 다음의 생 때문에 기적처럼 태어난 이생에서 제약을 받으며 수도승처럼 살 수는 없잖아요. 그건 단지 이생에서 나쁜 짓 하지 말라는 말 같은데. 교수님은 어떻게 생각하세요? 당연히 신이 있다고 하시겠지요?"

B교수는 눈을 지그시 감고 생각에 잠긴 듯 보였다. 그가 무슨 말을 할 것인가, 나는 신학자인 그의 입에서 나올 말이 궁금해졌다. 우리는 차를 마시거나 그곳에 고인 침묵을 어색해하며 그의 이야기를 기다렸다. 차를 몇 모금 정도 더 마셨을 때쯤 그가 감은 눈을 떴다. 그리고 억양 없이 건조한 톤으로 말을 꺼냈다.

"내게는 그 대답에 대한 선택권이 없소. 내가 신을 선택한 것이 아니라 신이 나를 선택했기 때문이지. 하지만……."

그가 말을 끊고 잠시 머뭇거렸다. 그러다 마침내 결심

한 듯 담담하게 말을 뱉었다.

"나도 가끔은 의심이 들어요. 신은 있는가? 정말로 신은 있는가? 스치듯 그런 의심이 들지만 곧 회개를 해요. 내게 있어 신의 존재란, 있다 없다가 아닌 절대적 존재요. 설령 신이 없어서 내가 틀렸더라도 말이지. 여태껏 믿던 신을 이제와 부정할 수는 없소. 그렇게, 숙명처럼 나는 신의 존재를 받아들여요. 하지만 전과 달라진 점이 있긴 하지."

표정 없이 건조한 말투였지만 진심이 느껴졌다. 그는 헛기침을 두어 번 하고서 다시 말을 꺼냈다.

"이제는 다른 신에 대해서도 예의를 갖추려고 해요. 그래야만 우리가 이 세상에서 공존할 수 있어서요. 다 아시다시피 우리에게는 끔찍한 역사가 있소. 종교 때문에 얼마나 많은 사람들이 무고하게 죽어갔는지 모두들 알고 있을 거요. 중세 유럽의 마녀사냥도 그중 하나겠지. 유럽에 흑사병이 돌 때였어요. 죽음에 대한 공포와 기근으로 사회적 불만과 분노가 치솟자 그 원인을 특정한 사람들에게 뒤집어씌웠소. 마녀를 색출해 그들에게 시민들의 분노를 돌렸던 거요. 마녀사냥이 통치를 위한 수단이 된 거지. 그렇게 시작된 마녀사냥인데 의외로 수입이 들어오기 시작했소. 보호자가 없는 돈 많은 과부가 표적이 되었기 때문이오. 마녀라 지목되어 죽게 되면 그 재산이 전부 몰수되니 점차 마녀사냥이 아니라 마녀사업이 된 거요. 더 많은 마녀를 찾기 위해 '밀고의 의무'를 두었소. 밀고를 게을리하는 것도 간접적인 이단으로 간주되어 처벌을 받았지. 그래서 부부나 형제간에도 밀고가 늘어났소. 거기다 몰수된 마녀의 재산 중 일부를 밀고한 사람에게 나눠주는 방법도 한몫했지. 마녀의 확정을 위해서는 자백이 필요했소. 그래서 그들은 갖은 방법을 동원해서 사람들을 고문했지. 영국에서 그때의 고문에 사용된 도구를 본 적이 있는데 그 잔혹한 일들이 종교인들에 의해 행해졌다는 게 도무지 믿어지지 않았소. 사람들은 고문에 못 이겨 결국 무엇이든 자백해야만 했고 자백과 함께 누군가의 이름을 불어야 했소. 그렇게 마녀의 수는 늘어나게 되었지. 심지어 이런 일도 있었소. 마녀 용의자의 손과 발을 묶어 강이나 늪에 던져 용의자가 떠오르면 마법의 힘이라 여겨 건져내 처형하고, 물에 빠져 죽은 자는 결백한 자로 여겼다는 말도 있소. 이 얼마나 황당한 일이오.

또한 공개 고문과 처형은 시민들에게 재미를 주었소. 마치 고대 로마의 콜로세움에서 벌어진 인간 살육에 환호한 로마 시민들처럼 말이오. 공개 처형이 있는 날이면 마녀가 완전한 나체로 불타 죽는 걸 보기 위해 사람들이 몰려들었다고 하오. 마녀사냥은 영국이나 프랑스뿐 아니라 독일, 이태리, 스페인 등에서도 횡횡했소. 그것은 분명히 잘못된 일이었소. 그때의 일에 대해 2003년인가, 교황도 잘못을 사과했소. 그 시대에는 정당하다고 믿던 것들도 이처럼 뒤집히는 게 다반사요. 이것이 바로 우리들이오. 오류투성이지. 우리의 마음속에는 다 이런 악마의 기운이 있는 거요. 내 안에도 분명히 그러한 피가 흐르고 있을 거요. 그래서 나는 다른 사람들을 비난할 수 없소. 설령 그들이 나와 다른 신을 섬기고 있다고 해도 말이오."

오류투성이라는 그의 말이 어쩐지 수긍되었다. 나는 고개를 조금 숙인 채 찻잔에 시선을 두고 그가 한 말을 곱씹고 있었다.

"주리 씨는 어떤가? 설마 무신론자는 아니지요?"

나를 향한 B교수의 눈은 마치 파충류의 눈동자처럼 초점을 감추고 있어 섬뜩한 기분마저 들었다. 나는 그의 눈빛을 피해 내 앞에 놓인 찻잔으로 시선을 돌렸다. 그리고 차를 한 모금 마신 뒤에 그의 질문에 대답했다.

"신이 있는지 없는지는 잘 모르겠어요. 내 머리로는 도저히 증명할 수 없기 때문이죠. 그러나 믿음은 마음이라고 생각해요. 내 마음이 신의 존재를 간절히 원할 때 믿음이 태어나는 거겠죠. 나는 가끔씩 마음으로 빌어요. 신이 있으라고. 의지하고 싶어요. 사람의 일생이 죽음으로 끝나지 않길 바래요. 사람이 죽은 뒤에도 돌아갈 곳이 있다면 좋겠어요."

나는 말을 마치고 그 자리에 모인 사람들을 둘러보았다. 모두들 흥미로운 얼굴로 대화에 몰입하고 있었다. 그러나 단 한 사람, S의 조카인 유미는 그런 화제에 흥미가 없다는 듯 볼펜으로 냅킨에 낙서를 하고 있었다. 나는 그녀에게 물었다.

"유미는 어때요?"

"나요?"

그녀가 화들짝 놀라며 고개를 쳐들었다.

"그런 건 생각해본 적 없어요. 교회를 나가긴 하지만 신에 대해서는 아직 잘 모르겠어요."

그녀는 말을 더듬거리다가 눈웃음으로 대답을 얼버무렸다.

대화가 끊기자 식탁 위엔 어색한 침묵이 감돌았다. 그때 버클리가 짐짓 명랑한 목소리로 끊어진 대화를 이었다.

"얼마 전에 다큐멘터리를 보았어요. '모험 없이는 기적도 없다'는 멘트와 함께 지구를 떠난 보이저호가 태양계의 행성들을 탐사하는 과정을 담은 영상이었어요. 몇 십 년간 우주를 탐험하고 있는 보이저호가 신의 존재를 확인했는지에 관한 이야기는 없지만 흥미로운 내용이 있더군요. 산소나 질소 등으로 구성된 인간의 몸이 사실은 별들의 폐기물에서 시작된 거래요. 그리고 초신성의 생성으로 튀어 나간 금과 은들이 우리가 지금 손가락에 끼고 있는 금반지의 고향이고요. 아, 태양이 점점 식어갈 거라고도 했어요. 그러다 언젠가의 미래엔 완전히 식어버린다는군요. 태양의 온도가 조금만 내려가도 지구는 얼음으로 덮일 거고 이 지구상의 모든 생물은 사라지겠지요. 우리 은하계에 대한 예언도 있었어요. 우리가 사는 은하계가 안드로메다 은하계에 흡수된다고 해요. 행성과 빛, 물리학 법칙도 삼키고 마는 블랙홀이라든지 별, 성단, 성운들을 흩어지지 않게 잡고 있는 암흑물질에 관한 언급도 있었지요. 그 다큐멘터리가 끝날 즈음에 나도 모르게 가슴이 울컥했어요. 우리가 환경문제나 핵무기의 위험에서 운 좋게 살아남더라도 결국은 언젠가 전멸될 수밖에 없는 게 지구인들이더라고요. 그런 생각이 들자 그저 모두 불쌍해 보였어요. 그 영상이 우리 인류의 한계를 제대로 보여준 거죠. 그 뒤로 제 생각이 많이 달라졌어요. 사는 날까지 사랑하면서 살자고요."

명랑하던 그의 목소리는 어느덧 차분해져 있었다. 그가 먹먹한 눈으로 그곳에 모인 사람들을 천천히 둘러보았다.

"그래서 결심했죠. 보이지 않는 신을 섬기려 할 게 아니라 좀 거창한 표현이지만 인류를 신으로 섬기자고요. 우선 내 곁의 사람들부터 섬기려고 해요. 마치 신께 하듯 그들을 대하려고요. 지금은 빈털터리지만 수입이 생기면 십일조 헌금도 할 거예요. 나는 내 수입의 십분의 일을 가난한 사람들, 배고픈 사람들을 위해서 쓰고 싶어요."

금박이 둘러진 찻잔을 거북이 등처럼 두꺼운 손으로 감싸 쥔 채 생각에 잠겨 있던 M이 나지막이 말했다.

"인류를 신으로 섬기겠다는 말이 정말 가슴에 닿는군. 이제부터 나도 자네를 신으로 섬기겠네. 나마스테!"

M이 버클리를 향해 공손하게 두 손을 합장하며 인자한 미소를 지었다.

"얼마 전부터 나는 글을 쓰고 있소. 중동의 평화에 대한 모색을 하는 거지. 나는 유태인이지만 가능하면 유태인의 대변자로서가 아니라 인류의 보편적 양심을 가진 자로서 글을 쓰려고 애쓴다오. 아까 교수님 말씀처럼 서로 자기의 주장만 계속하면 싸움은 절대 끝나지 않소. 글을 쓰기 시작할 때만 해도 내가 하려는 말이 무엇인지 희미했소. 나 자신도 어떤 결론에 다다를지 확신이 없었지. 하지만 글이 진행되면서 스스로 동력을 받아 결론을 만들어가고 있소. 내 유태인 친구가 걱정하더군. 그 책이 나오면 시오니스트들에게, 또 무슬림들에게도 총탄이 날아올 거라고 말이오. 하지만 난 아직도 믿고 있소. 총탄보다도 강력한 인류애 말이오."

M이 말을 마치자 B교수가 두 손을 합장하며 그에게 고개를 숙였다.

"그 책이 나오면 꼭 알려주세요. 가장 먼저 책을 사서

보겠다고 약속드리지요."

B교수가 말을 마치자 미도리도 따라 합장하며 말했다.

"저도요. 저에게도 연락주셔야 해요. 왠지 기대가 되네요."

나는 방으로 돌아와 그날 우리가 나눈 대화들을 기록해두었다. 희망이 보였다. 이토록 개인적인 시대에 이타적인 마음으로 나 아닌 남을 신으로 섬기겠다는 버클리의 생각이 따듯했다. 종교나 신앙을 떠나 누가 뭐라고 하든지 나는 그의 생각을 지지해주고 싶었다.

10

L의 노트 5

이상과 개울가의 집에서 살게 된 지 얼마 지나지 않아 어머니가 찾아왔다. 인기척에 방문을 열고 내다보니 어머니가 눈앞에 서 있었다. 쪽 진 머리에 옥색 치마저고리를 입은 키 작은 어머니 위로 새파란 하늘이 높았다.

밤늦도록 글을 쓰다가 잠들어 해가 중천에 뜰 때까지 잠자리에 있던 이상은 급히 옷을 갖춰 입느라 당황하였지만 나는 오히려 침착해졌다. 언젠가 한 번은 치러야 할 일이 닥친 것이다.

방으로 들어와 소꿉장난 같은 우리의 살림을 훑어보

던 어머니가 깊은 한숨을 내쉬었다. 당신이 하늘만큼 믿고 자랑스러워하던 딸이 집을 나가 남자와 결혼식도 하지 않고 사는 것이 기가 막힌다는 듯 어머니의 낯빛이 몹시 슬프고 창백해보였다.

나는 내심 부끄러운 마음이 들었다. 하지만 이상이 곁에 있는데 내색할 수는 없는 일이었다. 이상은 어머니와 나를 번갈아 보며 죄송하다는 말을 몇 번이나 반복하였다. 그의 주눅 든 표정이 보기에도 안쓰러웠다. 그런 그를 바라보다가 나는 어머니에게 담담히 말하였다. 이상이 나를 유혹한 게 아니라 내가 좋아서 따라나선 거라고. 그리고 앞으로 우리 둘이 동경으로 가서 살게 될 거라는 말도 덧붙였다.

어머니는 평생 단 한 번도 내 뜻을 꺾은 적이 없었다. 아니, 정확히 말하자면 나를 사랑해서 믿어주었던 것이다. 여고를 졸업하고 동경으로 떠난다고 하였을 때도 주변에서 펄쩍 뛰었다. 과년한 딸을 동경에 어찌 혼자 보내느냐고. 하지만 그때 나는 어머니를 설득하였고 어머니는 내 편이 되어주었다.

단호한 말투에서 내 결심을 읽었던 걸까. 어머니는 마

지막으로 깊은 한숨을 내쉰 뒤 하루 빨리 혼례식 날을 잡으라는 말만 남기고 자리에서 일어났다. 우리는 어머니를 따라 문밖으로 나가 개울가까지 배웅을 하였다. 나는 옥색 치마저고리를 입은 어머니의 모습이 개울을 건너 방풍림 쪽으로 점점 작아져가는 것을 오래도록 지켜보았다.

어머니가 다녀간 뒤 우리의 혼례식은 서둘러 진행되었다. 양가의 어머니가 만나 복잡한 의례는 생략하고 직계 가족만으로 간단히 식을 치르자고 결정하였다. 혼례 장소는 성북동의 '신흥사'로, 그 당시 경성의 크고 작은 잔치가 주로 열리던 절이었다.

혼례식 치르는 날엔 아침에 비가 한차례 쏟아졌다가 언제 그랬냐는 듯 말짱하게 개었다. 덕분에 후덥지근한 여름의 날씨가 선선해졌다. 이상은 내 어머니가 지어준 새 두루마기 한복을 입었고 나는 당시의 신부들처럼 흰 한복에 하얀 면사포를 썼다. 꽃을 묶어 만든 부케를 손에 쥐고 긴장하는 내게 여우비가 내렸으니 잘 살게 될 거라고 어머니가 말하였다.

혼례식장에서 이상의 가족들을 처음으로 대면하였다.

이상의 부모님은 그가 자기의 수필 〈슬픈 이야기〉에서 기술한 것처럼 장애가 있는 분들이었다.

> 우리 어머니도 우리 아버지도 다 얽으셨습니다. 그분들은 다 마음이 착하십니다. 우리 아버지는 손톱이 일곱밖에 없습니다. 궁내부 활판소에 다니실 적에 손가락 셋을 두 번에 잘리셨습니다. 우리 어머니는 생일도 이름도 모르십니다. 맨 처음부터 친정이 없는 까닭입니다.

이발사인 이상의 아버지 김영창과 어머니 박씨 부인은 세 남매를 두었다. 그중 장남이 김해경, 즉 이상이고 그 밑으로 세 살 터울의 남동생 운경과 여섯 살이나 어린 여동생 옥희가 있었다. 집안 형편이 몹시 궁색한 듯, 때까치처럼 몸이 마른 막내 옥희의 얼굴에는 버짐 꽃이 피어 있었다.

동생 운경이 태어난 뒤 이상은 자식이 없던 백부에게 양자로 입양되어 백부의 집에서 살게 되었다. 백부는 몰락한 강릉 김씨 집안을 일으킨 사람이었다. 일찌감치 공업학교를 나와 총독부의 기술자로 일하다가 사업을 벌여, 먹고살 만큼의 부를 일구었다. 백부의 집은 가옥과 대지를 합쳐 삼백 평이나 될 만큼 크고 넓었지만 그 집에서 이상은 행복하지 않았다.

백부에게는 부인이 두 명 있었다. 본처뿐 아니라 소실이 있어 그들은 한동안 함께 살았다. 한집에서 두 명의 부인이 지내며 일어나는 소란을 어린 이상은 고스란히 지켜보았다. 결국 백부의 본처가 집을 떠나며 소란은 끝이 났다. 백부가 본처와 이혼을 한 뒤 소실은 백부의 호적에 자기의 이름부터 올렸다. 그러고는 자신이 데리고 들어온 아들이 백부의 가계를 이어받도록 호적에 아들로 넣고 이상을 견제하며 미워하였다.

그렇게 큰어머니들의 눈치를 보며 살던 이상은 백부가 세상을 떠나자 친부모에게 돌아왔다. 하지만 집에 돌아온 그는 눈앞의 현실에 망연자실하였다. 장애를 가진 부모님과 동생들은 그가 집을 떠날 때와 마찬가지로 몹시 가난하게 살고 있었다. 그는 장남으로 그 집안을 책임지고 일으켜야만 하는 입장이었다.

그의 어머니 박씨 부인은 어려서부터 천재로 소문이 난 큰아들 이상이 동생들을 거두고 자신의 노후를 잘 보살펴줄 거라 굳게 믿고 있었다. 형편이 어려운 중에도 이상의 옷은 철마다 직접 바느질해 지었다. 그런 어머니를 위해, 자기만 바라보는 동생들을 위해, 그는 돈을 구해야 했지만 돈을 버는 것은 늘 어려웠다. 몇 번의 사업도 실패로 끝나 저당 잡힌 집마저 날렸다. 그는 현실의 참담함에 죽음으로 도망치고 싶었다.

이상이 나를 만난 때는 바로 그 시점이었다. 나는 이상의 가족을 만나고 난 뒤 그의 쓸쓸한 웃음과 죽고 싶다는 말이 조금이나마 이해되었다.

그가 "우리 먼 데 갈까? 우리 같이 죽을까?" 물었을 때 나는 두렵지 않았다. 나 역시 그 시대의 여자로 태어나 답답한 현실에 갇혀 허우적대고 있었기 때문이다.

내가 소실의 딸로 태어난 것이 내 잘못이 아니듯, 이상이 사업에 실패하고 가족을 돌보지 못한 것이 그의 잘못만은 아니었다. 봉건적인 낡은 인습이 대물림되던 식민지 시기의 백성들은 그 누구도 행복할 수 없었다. 침략자인 일본의 개가 되어 부를 누리건, 그것이 싫어 바닥을 치는 삶을 살건, 이름 없는 민초이건, 모두 앞이 보이지 않던 암울한 시대의 희생자였기 때문이다.

그날의 혼례로 이상과 나는 정식으로 부부가 되었다.

11

꽃이 지는 건 한순간이다

김준후, 그를 떠올리면 얼굴에 저절로 웃음이 번졌다. 그가 보내는 다정한 아침 인사에 눈뜨고 학교 도서관에서 함께 사랑을 키우는 날이 계속되었다. 그는 강의 준비로 바쁜 틈틈이 세계의 역사와 철학과 과학과 경제학 등 모든 분야에 걸쳐 자신이 쌓은 지식을 내게 알려주려고 했다. 틀에 갇히지 않은 그의 지식은 알면 알수록 놀라웠다. 라틴어와 희랍어로 쓰인 고대 문서들을 번역하며 얻은 통찰력으로 현대사회가 과거의 실수를 반복하지 않고 발전할 수 있는 길을 제시한 명쾌한 비평문은 많은 사람의 지지를 받았고 지역신문에 몇 차례 연재되기도 했다. 나는 그를 통해서 비로소 사랑을 깨달았다. 사랑이란 단지 종의 번성을 위한 호르몬 작용이 아닌, 상대를 성장시키려는 마음인 것을.

무엇을 더 바랄 수 있을까. 나는 그가 바라보는 세계가 좋았다. 그것은 스스로 자족하며 그 대가로 자유를 누릴 수 있는 세계였다. 나는 이미 돌이킬 수 없었다. 그가 이끄는 대로 그곳이 어디든 함께 갈 마음이 된 것이다. 설령 그 길에 얼마간의 고통이 따르더라도 나는 내가 내린 결정을 후회하지 않을 작정이었다. 그렇게 몇 주를 지날 즈음 그에게서 온 이메일은 나를 며칠 동안 충분히 설레게 했다.

혼자 살아 변변치 못한 살림이지만 주리 씨에게 한 끼 식사를 대접하고 싶어요. 근사한 요리는 할 줄 모르지만 내가 즐겨 먹는 소박한 음식을 준비하겠습니다. 식사 후에는, 집 바로 앞에 있는 부루클린 공원의 호숫가에서 함께 산책을 하십시다. 노을 지는 호숫가의 풍경을 나 혼자 보기 아까워서요.

허락하신다면 토요일 오후 3시쯤에 집 앞으로 가겠습니다.

기쁜 날을 기다리며,

준후

그에게 저녁 초대를 받았다. 어쩌면 나는 그의 초대를 간절히 기다렸는지도 모르겠다. 그가 사는 곳은 어떤 곳인지, 그는 집 안에서 어떻게 어떤 모습으로 지내고 있는지, 언젠가부터 그의 모든 것이 궁금해지기 시작했으니까. 나는 흔쾌히 그의 초대를 받아들였다.

위성 지도를 통해 브루클린 공원을 미리 찾아보았다. 공원은 그리 넓지 않았지만 작은 호수와 산책길이 나 있었다.

공원과 작은 길 하나를 사이에 두고 지은 지 백 년은 됨직한 낡은 아파트 건물 두 채가 서 있었다. 삼사 층 정도 되는 아파트였다. 그가 그곳에 살고 있을 거라는 생각이 스쳤다. 내가 사는 곳에서 그리 멀지 않은 곳이었다.

기다리던 토요일이 되었다. 그의 집을 방문하기로 한 날이었다.

나는 아침부터 부산을 떨었다. 그즈음 매달려 있던 번역을 조금이라도 더 해놓으려고 오전 내내 시간을 보냈고 점심 식사 후에는 집 근처의 쇼핑몰에 가서 그가 즐겨 마시는 원두커피를 샀다.

집으로 서둘러 돌아오니 시간이 벌써 두 시 반을 넘기고 있었다. 미리 꺼내놓은 원피스를 입으려다 그만두고 편한 울 스웨터에 청바지로 갈아입었다. 코트를 챙긴 뒤 현관에서 신발을 신으려는데 메시지 알림이 울렸다. 김준후, 그였다. 사정이 생겨서 약속을 취소한다는 내용이었다.

나는 그가 보낸 짧은 메시지를 몇 번이나 다시 읽어보았다. 한없이 아쉬웠지만 사정이 생겼다니 어쩔 수 없었다. 별일도 아닌 일로 약속을 깰 사람이 아니라고 믿었으니까.

하지만 힘이 쭉 빠졌다. 갑자기 아무것도 할 일이 없었다. 그와의 만남을 종일 기다리며 분주했는데 남아 있는 저녁 시간을 어떻게 보내야 할지 막막했다.

맥없이 다시 계단을 올라가 방으로 들어가려는데 미도리가 마침 그녀의 방에서 나왔다.

"주리, 오늘 외출한다고 하지 않았나요?"

나는 약속이 취소되었다며 힘없이 웃었다.

"그럼 나하고 미술 재료상에 같이 갈래요?"

시무룩한 내 표정을 살피던 그녀가 다시 채근했다.

"혼자 가기 심심해서 그래요."

별로 의욕은 나지 않았지만 그녀의 제안이 고맙기도 했다. 어차피 방 안에 틀어박혀 있으면 일도 손에 잡히지 않을 테고 마음만 심란할 것 같았다. 나는 그녀와 함께 집 밖으로 나왔다. 내가 자동차 열쇠를 꺼내자 그녀가 손사래를 쳤다.

우리, 기차 타고 가요. 재료상이 기차역 주변에 있거든요.

섣불리 자동차를 타고 나가면 주차비가 만만치 않았다. 나는 가방 안에 차 열쇠를 도로 넣었다. 우리는 집에서 몇 블록 떨어진 기차역을 향해 걸었다.

"며칠 전부터 M에게 에세이 지도를 받고 있어요. 학교에 보낼 포트폴리오도 거의 준비되었고 에세이만 잘 쓰면 될 것 같아요. 이제 희망이 보여요."

그녀가 덧니를 보이며 해맑게 웃었다.

"아, 다행이네요. M은 학생들을 가르친 경험이 있으니 도움이 많이 되겠죠."

"주리, 내가 이 집에 온 건 정말 행운이에요. 마음 붙일 주리도 있고 M도 날 도와주려고 애쓰고 있어요. M은 마치 살아 있는 부처님 같아요."

이런저런 이야기를 하는 사이에 우리는 기차역에 도착했다. 기차역은 역무원도 없이 표를 끊을 수 있는 자동판매기 한 대만 덩그마니 있는 곳이었다.

기다린 지 얼마 지나지 않아 차량 두 대가 연결된 기차가 들어와 멈췄고 사람들이 몇 명 내렸다. 우리가 사는 집의 뒷마당 옆으로 지나다니는 기차였다.

그때 미도리가 기차에서 내리는 사람을 향해 반갑게 인사를 건넸다. B교수였다. 하지만 그는 고개만 한 번 끄덕이고는 인사말 한마디 없이 우리를 지나쳐 갔다. 미도리와 나는 조금 무안해서 마주 보며 웃었다.

"교수님이 좀 이상하지 않아요?"

그녀가 기차의 좌석에 앉으며 물었다.

"저분과 함께 있으면 마치 내가 그림자가 된 듯해요. 내 존재감이 사라지고 마니까요. 미도리에게도 그런가요?"

"별로 친절하지 않아요. 하지만 주리랑은 친한 줄 알았어요. 얼마 전인가, 저분을 주리 방문 앞에서 봤어요. 방문에 귀를 대고 서 있다가 나를 보더니 깜짝 놀란 듯 얼른 밑으로 내려가더라고요. 좀 석연치 않은 느낌이 있었어요. 교수님과 무슨 일 있는 건 아니죠?"

나는 말도 안 되는 소리라며 펄쩍 뛰었다. 그리고 그가 나를 얼마나 경계하며 무시하는지 말해주었다.

"그런데 S와 M하고는 퍽 친해요. 체스도 같이 두고 뒷마당의 페티오에서 차도 자주 마시곤 하죠. 아마 우리들이 너무 하찮게 보여서 그런지도 몰라요. 하버드대학 교수님이시잖아요."

그렇게 말하며 미도리는 키득거렸다.

우리는 미술 재료상에 들러 물감 몇 종류를 산 뒤 밖으로 나왔다.

거리가 어둑해지고 있었다. 그녀와 함께 길을 걷는 중

에도 간간히 김준후, 그의 생각이 밀려들었다. 무슨 일일까, 무슨 일이기에 갑자기 약속을 취소해야 했나, 아쉽고 궁금한 마음에 나는 집으로 향하는 걸음을 재촉했다.

밤이 깊어가도록 그에게선 아무런 연락이 없었다. 조금 의아한 생각이 들었다. 그즈음 들어 거의 매일 밤을 통화하며 내게 하루의 안부를 묻던 그였다. 나는 잠시 망설이다가 그에게 메시지를 보냈다. '덕분에 긴 하루를 보냈어요. 잘 계신 거죠?'

하고픈 말은 산처럼 많았지만 최대한 절제하며 그에게서 답이 오기를 기다렸다. 하지만 그 밤이 지나도록 그리고 동이 트도록 휴대폰은 울리지 않았다. 다만 그가 내 메시지를 읽었다는 표시만 확인됐을 뿐이었다.

궁금증이 커져만 갔다. 무슨 일이 있나? 갑자기 왜 연락이 없을까? 내 메시지를 읽은 걸 보면 신변에 무슨 일이 있는 건 아니었다. 번역 일에 몰두하다가도 그의 생각이 집요하게 파고들었고 그 하루가 끝나갈 무렵부터 나는 알 수 없는 불안감으로 안절부절못했다.

옛 기억이 스멀거리며 피어올랐다. 거기에 나를 버린

사람이 있었다. 절대로 떠올리고 싶지 않던 기억들이었다. 그도 내가 지겨워진 건가. 벌써 그런 건가? 그런 생각이 스치자 옛 상처가 다시 욱신거렸다.

그날 이후에도 그는 아무런 소식이 없었다. 전화도 받지 않을 뿐더러 내가 보낸 메시지나 이메일도 더 이상 읽지 않았다.

의혹은 확신으로 굳어져갔다. 나는 깊은 수렁에 빠져버렸다. 허우적거릴수록 점점 더 빠져드는 수렁이었다. 그래서 그를, 그와의 추억들을, 송두리째 잊으려고 했다. 하지만 잊으려 할수록 상처는 더 크게 벌어졌다. 그의 진지한 표정들, 순수한 열정 그리고 어쩐지 아이 같아 불안해 보이는 행동까지, 한 사람의 생애가 통째로 들어와 나를 점령하고 있었던 것이다.

그저 머릿속과 마음을 텅 비우고 아무 생각 없이 지내는 것, 하루를 사는 것, 살아가며 견디는 것, 그것만이 내가 살아갈 수 있는 유일한 방법이었다.

음악을 틀어놓아도 책을 읽어도 가슴이 답답했다. 나는 한껏 초라했고 의기소침해졌다. 나도 모르게 한숨이 점점 늘어갔다.

책상 위의 파란색 골루아즈 담뱃갑을 볼 때면 함께 뉴욕에 갔던 날들이 떠오르며 슬픔이 출렁거렸다. 하지만 나는 울 수도 없었다. 한 번 울음이 터지면 도무지 수습될 것 같지 않아서였다.

몽유병 환자처럼 현실에 발을 딛지 못하고 부유하는 날이 계속되었다. 학교 수업과 급히 의뢰받은 번역 일 외에는 아무것도 못한 채 시계추처럼 매달린 하루를 보냈다. 하루의 수업을 마치고 집으로 돌아오면 혼자 있는 시간이 두려워 나는 내 방 대신 거실의 소파에 자주 앉아 있었다. 사람들과 섞여 있을 때면 그래도 잠시나마 비참한 기분을 잊을 수 있었다.

그날도 거실의 소파에 앉아 사람들이 들락거리는 것을 맥없이 보고 있었다. 오후의 햇살이 창을 통해 길게 들어와 나른한 기분이 들었다. 나는 소파의 팔걸이에 팔과 머리를 기댄 채 어서 빨리 시간이 지나가기만을 바랐다.

내 곁에서 M이 아들 엘몬을 데리고 곧 다가올 스펠링 경시대회를 준비하고 있었다. 아홉 살 엘몬은 그 경시대회의 지역 예선에 1등으로 올라 매사추세츠주의 대회를 앞두고 있었다. M은 준비한 단어 카드를 보여주며 엘몬의 주의를 끌어보려고 했지만 아이는 산만하게 게임기와 레고 블록을 만지작거리며 딴청을 피웠다. M은 모처럼 근엄한 목소리로 주의를 주었다.

"엘몬, 아무리 쉬운 단어라도 네 머릿속에 있어야 한단다. 그러니 제발 한 시간만이라도 집중하렴."

그러자 엘몬이 얼굴을 찡그리며 제 아버지를 향해 독설을 퍼붓기 시작했다.

"내게 강요하지 마! 나를 귀찮게 하면 당신이 위암에 걸려 손톱으로 벽을 긁다가 피 토하며 고통스럽게 죽으라고 기도할 거야."

나는 내 귀를 의심했다. 너무도 지독한 악담이었다. 어린아이의 입에서 나온 욕이라고 도무지 믿어지지 않았다. 그것은 성질 사나운 어른들도 차마 입에 담지 못하는 욕이었다.

그때 버클리가 부엌에서 나오다가 그 말을 듣고 다가왔다.

"꼬마야, 너 예의는 어디 갔니? 어떻게 아버지께 그런 심한 말을 하지?"

그가 일부러 눈을 부릅뜨며 무서운 표정을 지었다. 그의 배추벌레처럼 두꺼운 눈썹이 모로 휘는 것을 처음으로 보았다.

그러나 엘몬은 꿈쩍도 안했다. 오히려 버클리를 사납게 쏘아보았다.

"이건 네가 상관할 일이 아니니 지나가던 길을 가, 이 루저야."

귀여웠던 아이의 얼굴이 어느덧 공포 영화의 처키를 닮아 있었다. 버클리는 예상치 못한 반격에 더 이상 아무 말도 못하고 벌건 얼굴로 M을 바라보았다. M이 따끔하게 혼내서 녀석의 입을 다물게 해주길 바랐던 거다. 하지만 M은 어느새 인자한 할아버지의 모습으로 돌아가 있었다. 그저 아이의 등을 손바닥으로 쓰다듬으며 타이를 뿐이었다.

"아가, 그런 험한 말 하면 못 써. 모두 다 널 위해서 하는 말이야."

엘몬은 M의 팔을 탁 치며 모두를 향해 악을 썼다.

"누가 나를 위해? 왜? 모두들 내 일에 상관 말고 자기나 신경 쓰라고. 난 내가 하고 싶은 것만 할 거야. 누구도 강요할 수 없어!"

그러더니 마치 아무 일도 없었던 듯 게임에 열중했다.

나는 그 상황이 민망해서 어쩔 줄 몰랐지만 정작 M은 그런 일이 일상이라는 듯 아무렇지도 않아 보였다. 그는 평소보다 더욱 부드러운 미소를 지으며 자리에서 일어나 우리 곁을 떠났다.

"천재들은 사춘기도 빠른가?"

버클리가 못 말린다는 듯 고개를 흔들었다.

나는 다음 날에도 같은 소파에 앉아 있었다. M이 모처럼 마음을 털어놨다.

"엘몬은 자기 기분 내키는 대로 행동하오. 먹는 것도 자기가 원하는 것만 먹으려 하지. 수업 시간에도 내키지 않으면 아예 책상에 엎드려 자버린다는군. 요즘은 나를 주먹으로 때리기까지 하니 어쩌면 좋겠소?"

"상담을 좀 받아보지 그래요?"

내 말에 그가 고개를 가로저었다.

"벌써 해봤소. 그러나 아무 효과가 없소. 아이큐 160의 머리로 오히려 상담사를 갖고 놀려고 하더군."

그때였다. 버클리의 비명 소리가 들렸다. 소리는 거실 옆에 붙은 버클리의 방 쪽에서 났다. 그 비명 소리에 MIT가 달려왔고 나도 M과 함께 버클리에게 갔다. 방문 앞에서 버클리가 한쪽 발을 부여잡고 바닥을 뒹굴고 있었다.

"무슨 일이요?"

M이 묻자 버클리는 고통스러운 듯 인상을 찌푸리며 바닥에서 조그만 플라스틱 조각을 집어 들었다. 엘몬이 늘 갖고 노는 끝이 날카로운 레고 블록이었다.

"엘몬 짓이네. 일부러 방문 앞에 던져놓은 것 같은데?"

MIT의 말에 M이 몹시 당황하며 거실 구석에서 레고 블록을 가지고 놀고 있는 엘몬에게 다가갔다. 하지만 엘몬은 M을 쳐다보지도 않고 먼저 입을 열었다.

"그건 어제 내게 친절하지 못했던 벌이야."

기가 막혔다. 대체 이 아이가 자라서 어떻게 될까. 우리는 대꾸할 말을 찾지 못해 서로를 멀뚱히 쳐다보고만 있었다.

"엘몬, 그럼 안 돼요. 지난 일에 대해 복수를 하는 건 점잖지 못한 짓인 걸 알아야지."

M이 인자한 할아버지처럼 말했다.

다행히도 버클리의 발바닥은 빨갛게 부은 정도였지만 우리는 그 집 식구들의 앞날이 적잖이 걱정되었다.

"정말 이 꼬마 녀석을 어쩌나."

버클리는 갑자기 당한 일격이 믿기지 않다는 듯 연신 고개를 저었다. MIT가 팔짱을 낀 채 우리 곁에서 흥미로운 얼굴로 그 아이를 쳐다보았다.

그날 이후에도 아이는 자기의 아버지에게 습관처럼 욕을 해댔고 제 마음에 들지 않으면 아무 때나 바닥에 등을 깔고 누워 버둥거리며 악을 썼다. 그럴 때면 M도 K도 그 아이를 어쩌지 못하고 쩔쩔맸다.

그러나 어느 날부터인가 아이가 눈에 띄게 얌전해졌다. 악을 쓰다가도 MIT만 나타나면 이내 소리를 죽이며 그의 눈치를 살폈다.

대체 어찌 된 상황인지 모두가 궁금해하던 무렵이었다. 여느 날처럼 엘몬이 식탁에 앉아 밥을 먹다가 제 아버지에게 심통을 부리며 온갖 욕을 퍼붓고 있을 때 MIT가 나타났다. 그날 엘몬은 그의 등장에도 아랑곳없이 작은 주먹으로 제 아버지를 때리기까지 했다. 그때 MIT가 주머니에서 휴대폰을 꺼내 들었다. 그러고는 아이의 모습을 촬영하기 시작했다.

"난 상관 안 할 거야. 찍어, 찍으라고! 이 루저야!"

MIT는 순식간에 그 동영상을 유튜브에 올린 뒤 엘몬에게 영상을 틀어주었다. 제 아버지를 때리고 상스러운 욕을 하는 엘몬의 행동이 영상 속에 생생히 담겨 있었다. 그걸 들여다본 아이가 악 소리를 지르며 휴대폰을 빼앗으려 달려들었지만 MIT는 팔을 번쩍 치켜들었다. 그리고 평소와 다른 낮고 음험한 목소리로 말했다.

"자, 봐. 꼬마야. 네가 이 휴대폰을 없애도 소용없어. 이건 유튜브에 올라가 있기 때문에 세상 어느 구석에서건 볼 수 있지. 이 영상을 본 사람들이 너를 어떻게 생각할까. 이다음에 네가 근사한 직장을 잡는 것도, 아름다운 여자랑 결혼하는 것도, 절대 쉽지 않을 거야. 이런 망나니에게 누가 일을 주겠으며 누가 결혼할까? 정말 안됐구나."

그는 말끝에 혀를 쯧쯧 찼다.

마침내 제 성질을 추스르지 못한 아이가 바닥에 주저앉아 통곡하기 시작했다.

"그거 줘, 내게 줘."

아이는 어깨를 동그랗게 말아 웅크리고 두 발은 쭉 뻗은 채였다.

MIT는 결국 아이의 항복을 받아낸 뒤 유튜브에 올리는 것을 다시 유보한다고 했다.

버클리가 아이 몰래 MIT에게 눈을 찡긋했다.

아이가 방으로 돌아간 뒤 모두 심각하게 아이의 미래를 걱정했다.

"난 이 아이가 자라서 뭐가 될지 너무 궁금해요. 천재성은 있는데 그 천재성이 좋은 쪽으로 가지 않으면 세상에 큰 해가 될 것 같아 두렵기도 하고."

버클리의 말에 MIT가 공감했다.

"저 머리로 악의 편에 서면 정말 큰일이죠!"

MIT가 골치 아프다는 듯 다시 고개를 흔들었다.

그때 상황을 지켜보던 B교수가 M을 위로했다.

"엘몬은 특별한 상담이 필요한 것 같아요. 학교에 알아보도록 하지요. 하버드는 천재들이 제법 모이는 곳이니 방법이 있을지도 몰라요."

그의 말을 듣고서야 걱정으로 구겨졌던 M의 얼굴이 슬그머니 펴졌다.

12

L의 노트 6

혼례를 치른 뒤 이상의 친구들은 집에 수시로 들이닥쳤다. 화가 구본웅, 소설가 박태원과 정인택, 정릉의 산사에서 요양하던 김유정 등이었다.

대모테 안경에 앞머리를 일직선으로 자른 박태원은 독특한 외모와 달리 수줍음을 많이 탔지만 가끔 외설적인 농담을 던져 자기의 존재감을 드러내기도 하였다. 농담을 좋아하던 이상은 그와 죽이 잘 맞는 듯 단짝으로 여겼다.

일본에서 유학하다가 돌아온 박태원의 손에는 늘 영문

소설이 들려 있었다. 그는 당시의 서양과 일본 문학의 시류에 대해서 꿰뚫고 있는 듯 보였다. 박태원은 이상에게 일본이나 유럽행을 권하였다. 그곳에서 진검승부를 펼쳐 존재감을 알리라며 그의 메마른 가슴에 불을 지폈다.

개울가의 집에 드나들던 이상의 친구들 중에서 김유정의 상황은 몹시 위태로워 보였다. 폐병이 깊어진 그는 가끔 숨이 모자란 듯 숨을 거칠게 몰아쉬었다. 그럴 때 그의 얼굴은 황톳빛이 돌아 누렇고 칙칙해 보였다. 모두 그를 안타까워했지만 어쩔 방도가 없었다. 가난도 폐병도 도처에 널려 있어 누가 누구를 도울 형편이 아니었다.

말수가 별로 없던 김유정은 나이에 비해 점잖았다. 고향인 강원도에 야학을 세워 낙후된 고향 마을의 선생 노릇을 하며 문맹퇴치운동을 한 적도 있지만 그때는 폐병을 고치려고 요양 중이었다. 그는 친구들의 짓궂은 농담에도 그저 병색 깊은 얼굴에 피식 웃음을 지을 뿐이었다. 그 웃음 속에는 뜻을 펴지 못하고 병들어 무기력해진 자신에 대한 자괴감이 들어 있었다.

김유정은 잘 먹지 못한데다 밤새워 글을 쓰느라 몸이 망가질 대로 망가져 있었다. 하지만 삶의 열망만큼은 그 누구보다도 컸다. 신문에 소설 〈소낙비〉가 당선되어 이름을 알린 그가 할 수 있는 건 오직 글을 쓰는 일이었다. 그는 종종 밤새워 쓴 소설을 친구들에게 보여주며 의견을 구하기도 하였다. 나는 김유정의 소설이 마음에 들었다. 그의 소설을 읽다 보면 토속적인 산골 마을의 풍경이 머릿속에 아른거렸다. 산골 마을을 배경으로 가난하지만 순박한 사람들의 삶을 해학적으로 그려낸 그의 소설을 읽고 나면 늘 긴 여운이 남았다.

그는 우리가 살던 집에서 멀지 않은 정릉의 암자에 요양하고 있었는데 '구인회'의 친구들이 우리 집에서 모인다는 서신을 받으면 빠지지 않고 참석하였다. 글 쓰는 일, 그것은 그에게 단 하나 남은 희망의 불씨였다.

이상과 그의 친구들이 만나면 화제는 늘 풍부하였다. 그들이 회원으로 있는 '구인회'의 이야기며 거기에 속한 문우들의 근황이며 어수선한 시절이며 일본에서 구입한 서적이며 유럽을 강타하고 있는 시류나 화풍 등에 대해 밤늦도록 이야기가 끝나지 않았다. 그때 그들은 러시아 소설가 도스토옙스키에 대해 광적인 토론을 자주 벌였다. 그래서인지 이상의 친구들은 우리 집을 '도스토옙

스키의 집'으로 불렸다. 그들은 술에 취하거나 격렬한 의견 충돌 끝에 주먹질을 벌이기도 하였으나 그다음 날이면 아무 일도 없던 듯 행동하였다.

김유정은 격한 토론 자리에서도 언제나 눈빛이 차분하였다. 그저 사려 깊은 눈으로 그들의 대화를 듣다가 짧게 한마디 거들 뿐이었다. 그러나 자리가 파할 무렵이면 창백한 그의 얼굴에도 홍조가 살며시 돌았다. '문학'이라는 같은 배에 탄 친구들과 함께 인생과 예술을 실컷 논하고 나면 쪼그라질 대로 쪼그라진 그의 폐에도 얼마간 견딜 수 있는 산소가 들어찬 듯 보였다.

이상은 그에게 특히나 각별하였다. 이상도 김유정도 폐병과 가난에 시달리고 있었고 친부모에 대한 아픔을 가진 터였다.

그 당시에 김유정은 어머니의 사진을 늘 가슴에 품고 다녔다. 나도 언젠가 사진으로 그의 어머니를 본 기억이 있다. 그가 내민 사진 속 여인은 김유정처럼 기품이 흘렀다. 어머니에 대한 애틋한 그리움이 컸던 걸까. 어느 날, 그에게 운명처럼 한 여자가 나타났다. 우연히도 어머니의 모습을 닮은 여자를 만난 것이다. 그가 마주친 사람은 당대의 명창으로 소문난 기생 박녹주였다. 윤기 흐르는 검은색 머리를 단아하게 올리고 눈빛이 영민하게 반짝이는 박녹주의 모습은 사진 속 김유정의 어머니와 지독히 닮아 있었다. 그는 한눈에 박녹주에게 반하였다. 잃어버린 모성을 갈구하듯 김유정은 그녀에게 절절한 연애편지를 보내며 구애를 하였지만 그의 연모는 매몰차게 거절당하였다. 절세의 명창으로 소문이 자자한 그녀에게는 경성뿐 아니라 그 당시 조선 팔도에서도 구애가 늘 차고 넘쳤고 그런 그녀에게 연희전문학교 학생인 김유정은 세상 물정 모르는 한낱 애송이일 뿐이었다. 김유정의 가련한 짝사랑은 당시의 경성에 재미난 화젯거리이자 놀림감이 되고 말았다.

그들은 모던 보이들답게 연애에 관해서도 당당하였다. 때론 자신의 연애담을 농담으로 승화시키며 킬킬거렸다. 나는 그들의 대화로 이상이 소설가 정인택의 부인인 권순옥과 한때 사귀었던 것을 알게 되었다.

권순옥은 이상이 차린 다방 '쓰루'의 직원이었다. 이상은 고리키의 소설 전집을 다 읽었을 정도로 지적인 권순옥에게 호감을 느꼈다. 그때는 이상과 동거하던 금홍이가 집을 나가버려 마음이 심란하던 때였다. 이상과 권순옥은 차츰 사이가 가까워졌지만 그 관계는 오래가지 못하였다. 다방에서 권순옥을 본 이상의 친구 정인택이 권순옥을 짝사랑하며 괴로워하다가 음독자살을 기도한 것이다. 이상은 친구의 자살 시도 현장을 목격하였다. 그때의 상황을 묘사한 글이 이상의 글 〈환시기〉에 있다.

> 나와 순영이 송 군 방 미닫이를 열었을 때 자살하고 싶은 송 군의 고민은 사실화하여 우리들 눈앞에 놓여져 있었다. 아로날 서른여섯 개의 공동空洞 곁에 이상의 주소와 순영의 주소가 적힌 종잇조각이 한 자루 칼보다도 더 냉담한 촉각을 내쏘면서 무엇을 재촉하는 듯이 놓여 있었다. (……) 나는 코 고는 '사체'를 업어 내려 자동차에 실었다. 그리고 단숨에 의전병원으로 달렸다.

정인택을 살려낸 이상은 권순옥을 설득하여 그와 사귀도록 다리를 놓아주었다. 뿐만 아니라 정인택과 권순옥의 결혼식 사회까지 봐주었다. 친구를 위해 좋아하는 여자도 보내줄 수 있는 사람, 이상은 그런 사람이었다.

먹을거리를 구할 돈이 떨어질 때쯤이면 우리는 시내로 외출을 하곤 하였다. 그가 틈틈이 써놓은 글을 출판사에 주어 얼마간의 돈이라도 마련하기 위해서였다. 동소문에서 시내로 가려면 혜화동 파출소를 지나갔는데 그럴 때면 어김없이 검문에 걸려들었다. 일본인 경찰들은 새파란 젊은이가 한복 두루마기 차림을 하고 있다는 것만으로 수상하게 여겼다. 일경들과의 언쟁이 불안하였던 나는 이상에게 한복을 입지 말라고 권하였으나 그는 고개를 흔들었다. 아니, 보호색으로 바꾸기는커녕 어머니가 지어주신 한복이 편하다며 오히려 그들과의 언쟁을 즐기는 듯 보였다.

그와 함께 산 지 몇 달이 지나 한여름의 무더위가 가시고 나니 추운 겨울을 보낼 걱정이 태산이었다. 그가 앓아눕는 날이 많아지면서 자연히 친구들의 발길도 뜸해졌다. 이상은 마른 가슴을 헐떡이며 기침을 해대면서도 밤늦도록 글을 썼다. 그런 다음 날이면 정오의 해가 기울도록 잠자리에서 시체처럼 누워 앓았다. 햇빛을 쐬지 못하여 얼굴은 점차 백지장처럼 하얘졌고 심한 기침 끝에는 각혈이 나왔다. 나는 그가 토해낸 새빨간 피를 보며 안절부절못하였다. 병원은커녕 약값도 댈 수 없는 형편이었다.

나는 매일 먹을 것을 구하는 일과 그의 약값이 걱정되었으나 이상은 무신경하였다. 그 대신 날마다 일본으로 갈 궁리만 하고 있었다. 사방을 둘러봐도 꽉 막힌 현실에 날개를 펴 탈출하는 것만이 그의 유일한 희망이었다.

하루는 시내에 다녀온 그의 얼굴에 모처럼 화색이 돌았다. 친구인 화가 구본웅이 그가 일본에 체류하도록 얼마간의 경비를 보태주기로 한 것이다. 하지만 그 경비는 둘이 떠나기에는 한참이나 모자랐다. 나는 차후를 기약하였다. 그가 먼저 떠나면 나는 일을 하여 내가 쓸 경비를 만들어 따라가겠다고 그를 안심시켰다.

그의 동경행이 결정된 후 우리는 서둘러 이사하였다. 내가 일을 하려면 교통이 편한 시내가 아무래도 더 나을 것 같아서였다. 야트막한 언덕과 맑은 개울물이 흐르던 동네를 떠나 우리가 새 둥지를 튼 곳은 을지로의 옛 지명인 황금정 부근이었다.

급히 얻은 황금정 단칸방은 해가 들지 않아 한낮에도

토굴처럼 어두컴컴하였다. 하지만 일본으로 떠난다는 희망 때문인지 이상은 거기에서 그 어느 때보다 명랑하였다. 밤이면 그를 배웅한다며 친구들이 집으로 몰려와 밤늦도록 술판을 벌이며 이별의 아쉬움을 나누었다. 이상은 한 달 남짓 그곳에서 살다가 일본으로 떠났다.

13
견딜 수 없네

———————— 오늘은 참 근사한 날이었어요.

웃고 있음에도 어쩐지 울고 싶은 내 마음을 대신해서 우는 천둥, 번개와 폭우 그리고 비 그친 밤하늘에 무더기로 매달린 별까지 모두 볼 수 있는 날이었지요.

비가 쏟아지니 나뭇잎들이 생기를 되찾고, 비가 그치니 노란 별빛이 찬란했습니다. 날이 갠 밤하늘에 북두칠성이 박혀 있는 것과 초승달 사이로 잿빛 구름 한 조각이 흘러가는 것을 한동안 올려다보았습니다.

어지러웠어요. 내가 발 딛고 있는 지구가 돈다는 증거겠지요. 분수를 지킬 줄 아는, 그래서 서로의 질서를 잘 유지하며 운행하는 별들이 아무리 생각해도 신비로운 이 밤, 사람들의 집들은 모두 불이 꺼져 있습니다. 모두 저마다의 꿈을 내려놓고 잠이 든 것이지요.

당신도 지금쯤이면 고단한 하루를 내려놓고 잠이 들었을까. 오늘 밤 당신의 잠 속에 내가 있을까. 그러고 보니 오늘도 종일 당신 생각에 붙잡혀 있었군요.

당신에게 가는 길을 잃어버린 내 마음에도 가끔 천둥이 울고 비가 내렸습니다. 하지만 마냥 슬퍼할 수만은 없어서 이 밤만큼은 당신께 자발적으로 묶인 사슬을 나 스스로 끊으려 합니다. 당신으로부터 한 뼘쯤 떨어져 우리 둘의 사이에도 바람이 들락거리도록, 그래서 당신을 향한 그리움의 손짓이 더 애절해지도록 말이지요.

밝은 낮이 현실의 시간이라면 어두운 밤은 꿈꾸는 시간인 듯합니다. 꿈꾸는 시간은 내일을 향한 기대로 충만합니다. 그 기대는 손에 닿아 있거나 밤하늘에 박혀 있는 아득한 별이어도 괜찮아요. 기대는 오늘을 견딜 수 있는 힘이니까요. 나는 그 기대를 붙들고 희미하게나마 얼굴에 미소 짓는 연습을 하곤 합니다. 이런 내 모습이 어쩐지 피에로 같기도 해요. 가끔은 얼굴의 분장을 지우고 마음껏 울고 싶은데 그만 어른이 되었나 봐요. 이제는 잘 울 수 없으니까요.

그래도 울고 싶을 땐 어지러울 정도로 밤하늘을 오래 올려다봅니다. 그러다 보면 어느새 울고 싶은 마음은 사라지고 슬그머니 부끄러움이 스며듭니다. 밤하늘 별빛들이 몇백만 년의 시간 여행을 거쳐 내 눈에 닿은 거라 생각하니 그 어마어마한 세월에 비해 내 나이가 얼마나 어린지, 철없는지, 깨닫게 되는 것이지요.

남동쪽 하늘의 오리온자리 근처에는 유난히 반짝이는 별이 있어요. 밤하늘에서 가장 빛나는 별이어서 누구나 한 번쯤 바라보았을 그 별의 이름은 시리우스입니다.

사람들은 시리우스에서 푸른빛과 노란빛밖에 보지 못하는데 후후, 나는 파스칼처럼 그 별에서 붉은 광채를 보았어요.

당신, 당신도 가끔 밤하늘을 올려다보며 별을 바라보나요? 시리우스에서 붉은빛을 보았나요?

천둥과 번개를 동반한 폭우가 종일 쏟아졌다. 며칠째 계속 잠을 설친 탓에 정신이 맑지 못했다. 그러다 어느 순간, 잠이 몰려와 깜빡 졸았다. 그 짧은 시간에 꿈을 꾸었다. 어지러운 꿈이었다.

어린 시절의 오빠가 어깨에 새를 얹고 자랑스럽게 나를 바라보고 있었다. 그 새는 분명 내 기억 속의 어린 새였다. 나는 기쁜 마음에 손을 내밀었지만 어찌된 일인지 오빠는 내게 다가오지 않았다. 내가 다가가면 오빠는 그만큼 더 멀어졌다. 나는 저 멀리 떠나가는 오빠를 부르다가 잠에서 깨어났다. 슬픈 마음이 들어 울었는지 눈가가 젖어 있었다.

잠든 사이에 비가 그쳤고 창을 통해 별들이 쏟아질 듯 매달린 밤하늘이 보였다. 나는 두터운 겉옷을 걸쳐 입고 모두가 잠든 집을 빠져나와 뒤뜰로 나갔다. 비 개인 밤하늘에 별들이 가득했다. 내 슬픔과 상관없이 북쪽 하늘에는 북두칠성과 알파벳 W 모양으로 카시오페이아가 자리를 지키고 있었다. 슬플 때 올려다보는 별빛은 왜 그리도 찬란한지, 나는 그를 떠올렸다. 언제부터인가, 내 모든 아름다움의 끝에는 김준후, 그가 있었다.

나는 그에게 다시 이메일을 보냈다. 그가 읽지 않을 거라는 걸 알면서도 그렇게 하지 않고는 견딜 수 없었다.

완성되지 못한 사랑은 묵직한 미련으로 내 속에 가라앉아 있었다. 때로 그는 무엇을 하며 지낼까, 나를 완전히 잊은 걸까, 대체 무슨 이유로 갑자기 떠난 것일까, 궁금증이 일었다. 잠시라도 방심하면 나도 모르게 그의 생각에 빠져들었고 그럴 때마다 슬픔이 출렁였다. 우리에겐 아직도 시간이 더 필요한 건가. 나를 이대로 버려둔다면, 그래서 내 마음이 더 고독하도록, 그리움에 몹시 사무치도록, 사무치고 또 사무쳐서 모든 것이 별처럼 빛나고 의미가 생긴다면, 그때쯤이면 우리가 다시 만날 수 있을까. 나도 모르게 마음이 격해졌다. 보고 싶어 달려가려는 마음을 겨우 가라앉혔다.

워싱턴과 뉴욕을 거쳐 북쪽으로 봄이 다가오고 있었다. 하루가 다르게 날씨가 포근해졌다. 나는 오랜만에 창문을 활짝 열었다. 열린 창으로 시냇물 흐르는 소리가 세차게 들려왔다. 집의 뒷마당과 숲 사이에 있는 작은 시내가 겨우내 얼음에 덮였다가 마침내 녹아 힘차게 내달리는 소리였다.

창을 통해 바깥을 내다보다가 시냇물 소리에 이끌려 뒷마당으로 나갔다. 마당가의 작은 길을 따라가면 시내가 나오고 그 뒤로는 숲이 펼쳐졌다.

시냇가로 가기 위해 갓길을 걷는데 앙증맞은 보랏빛 꽃이 내 발걸음을 잡았다. 누렇게 마른 풀들을 헤집고 몇 송이 꽃이 핀 것이다. 신기하고 예뻐서 허리를 구부리고 앉아 꽃을 들여다보았다. 길을 따라 몇 송이가 나란히 핀 걸로 보아 지난 가을쯤 S가 심어놓은 구근에서 올라온 꽃일 거라는 생각이 들었다. 꽃의 크기나 모양은 할미꽃처럼 생겼지만 할미꽃과는 달리 하늘을 향해 꽃잎을 봉긋이 벌리고 있었다.

시냇물은 얼음장처럼 차가웠고 물 흐르는 소리가 활기차게 숲을 깨우고 있었다. 확실히 시내 건너편에 있는 숲의 풍경도 달라졌다. 수묵화처럼 무채색이던 겨울 숲이 깨어나 물오른 버드나무 가지마다 움이 터져 연둣빛 망울들이 매달린 것이다. 옅게 채색되기 시작한 숲을 보며 나는 문득 숲으로 들어가고 싶은 충동을 느꼈다.

작은 시내에는 제법 큰 돌 두 개가 징검다리처럼 놓여

있어 몇 걸음이면 숲으로 들어갈 수 있었다. 하지만 그 집 사람들에게 그곳은 금기의 땅이었다. 집주인인 M이 살인 진드기가 있을 수 있다며 충분히 주의를 주었기에 모두들 그곳에 가는 걸 두려워했다. 마치 보이지 않는 금줄이 쳐진 것처럼 그저 시냇가에 서서 숲을 바라볼 뿐이었다. 잎이 무성해지기 전이어서 숲의 안쪽이 얼마쯤 들여다보였다. 플라타너스와 참나무 그리고 마로니에나무들로 빽빽한 숲은 오르막길로 이어졌다. 깊은 숲속의 안쪽이 궁금했다. 하지만 M의 충고가 떠올라 아쉬운 마음으로 걸음을 돌려야 했다.

시냇가에서 돌아 나오는데 어디선가 새소리가 들렸다. 그 새소리는 마당 구석진 곳의 뽕나무 가지 위에서 나는 소리였다. 나는 살금살금 그 나무 곁으로 다가가 고개를 들어 나뭇가지 위를 찬찬히 살펴보았다. 움이 튼 가지들 사이에 제법 커다란 새집이 있었다. 그곳에서 어린 새 두어 마리가 둥지 밖으로 고개를 내밀고 지저귀고 있었다. 내 방에 있는 창문을 통해 본 어린 새들이었다. 새들의 모습에 잠깐 정신이 팔려 있다가 나무둥치를 본 순간 나는 흠칫하며 몇 걸음 뒤로 물러섰다. 나무둥치를 타고 어른 팔뚝만 한 굵기의 뱀 한 마리가 새 둥지를 향해 기어오르고 있었다.

나무껍질과 구분이 안 될 정도로 누런 보호색을 띤 뱀이 눈앞에서 혓바닥을 날름거리는 모습은 섬뜩하고 징그러워 다리가 후들거렸다. 그러나 가만히 두고 볼 수만은 없었다. 무슨 수라도 써야 했다.

나는 몹시 허둥거리며 땅에서 돌을 몇 개 주웠다. 그리고 그중의 하나를 뱀을 향해 던졌다. 내가 너무 당황한 탓인지 돌은 나무둥치도 맞추지 못한 채 떨어졌다. 나는 계속해서 돌을 던졌다. 마침내 위협을 느낀 뱀은 빠른 속도로 둥치를 타고 내려와 미끄러지듯이 풀숲으로 사라졌다. 뱀의 꼬리가 내 시야에서 완전히 사라졌을 때 나는 그 자리에 주저앉고 말았다. 긴장이 풀린 탓인지 머릿속이 멍해지고 귀가 울었다. 한동안 그렇게 앉아 있다가 겨우 진정하고 새 둥지를 올려다보니 그때서야 어린 새들이 지저귀는 소리가 들려왔다. 새들은 무사했다. 나는 혹시라도 그 뱀이 다시 돌아올까 걱정이 되어 돌멩이를 몇 개 더 주워 발밑에 놓은 채 기다리다가 추위를 견디지 못하고 집 안으로 들어왔다.

오랜 시간 밖에 있던 탓인지 몸에 오한이 들었다. 나는 침대에 누워 이불을 머리끝까지 뒤집어썼다. 뽕나무를 타고 오르던 징그러운 뱀의 형상이 떠올랐다. 내가 몇 걸음 늦었다면 그 어린 새들의 운명은 어떻게 되었을까. 귓가에서 새소리가 다시 들렸다. 분명히 이불 속이었는데 어린 새들의 울음소리가 귓가를 떠나지 않았다. 그 새들의 울음소리가 먼 옛날의 기억을 불러냈다. 몹시 슬픈 기억이었다.

내가 여섯 살 즈음, 고모가 아이 둘을 데리고 우리 집에 들어와 몇 년간 함께 살았다. 그때는 방이 모자라서 나와 오빠가 같은 방을 쓰고 있었다. 식구들이 많아져 일거리가 늘어난 엄마는 밤마다 우리에게 자장가 대신에 라디오를 틀어주고는 방을 나갔다. 이야기라면 무턱대고 좋아하는 오빠를 위해서였다. 오빠는 특히 무시무시한 이야기들을 좋아했다. 라디오에서 귀신 이야기라도 나오면 우리는 악을 쓰고는 한꺼번에 이불 속으로 파고들어 난리를 피운 뒤에야 잠이 들었다. 오빠는 라디오 연속극을 좋아했지만 늘 연속극이 채 끝나기도 전에 숨소리를 고르게 내며 잠들었다. 밤늦도록 동네 아이들과 뛰어놀다가 씻지도 않고 이불 속으로 기어든 오빠에게서는 언제나 시큼한 땀내가 났다.

나는 라디오의 일일 연속극이 끝날 때까지 혼자 깨어 있었다. 연속극을 듣다가 심심하면 가끔씩 라디오를 만지거나 흔들어댔다. 그 작은 라디오 속에 사람들이 살고 있는 게 신기하기만 했다. 그러다가 문득 라디오 속의 작은 사람들이 어지러울 수도 있다는 생각이 들면 가만히 라디오를 제자리에 내려놓았다.

연속극이 끝나서 라디오를 끈 뒤에도 잠은 쉽게 오지 않았다. 감긴 두 눈 속에 라디오 속의 작은 사람들이 다시 나타났다. 나는 그들과 함께 연속극의 이야기들을 이어나갔다. 어떤 실마리든 잡아 풀어놓으면 이야기는 넝쿨처럼 저절로 뻗어나갔다. 나는 절대자가 되어 불행에 빠진 사람들을 구하거나 나쁜 사람들에게는 벌을 주기도 했다. 그것은 신나는 일이었다. 내 상상은 라디오 연속극에서 그치지 않았다. 그날 집에 왔던 낯선 사람들이나 골목길에 처음 나타난 아이들이 내 상상의 빈 공간을 채우

기도 했다.

아침이면 오빠는 늘 똑같이 물었다. “그래서 어떻게 됐어?” 라디오 연속극 이야기였다. 하지만 내가 머뭇거리며 이야기를 꺼내는 사이, 오빠는 이불 속을 빠져나와 골목길로, 학교로 사라져버리곤 했다.

그러던 어느 여름인가, 모처럼 집 안에 오빠와 단둘이 남게 되었다. 엄마는 외출하며 오빠에게 나를 잘 돌보라고 단단히 주의를 주었다. 오빠는 방학 숙제를 마루에 펼쳐놓은 채 줄곧 내 곁을 지켰다.

무더위에 지친 오빠와 나는 마룻바닥에 등을 대고 늘어져 있었다. 작은 마당 위의 하늘은 파랗게 높았고 장독대 곁에 심어놓은 붉은 샐비어에선 벌들이 윙윙댔다. 삶은 옥수수를 하나 집어 우적거리던 오빠가 “쉬었어” 하며 상한 옥수수를 마당에 던졌다.

그 바람에 마당에서 모이를 찾던 작은 새들 몇 마리가 파드득 날갯짓을 하며 공중으로 날아올랐다가 도로 내려앉았다. 새들은 오빠가 던진 옥수수를 작고 검은 부리로 톡톡 쪼았다. 머리에 검은색과 흰색 줄이 있고 갈색 몸을 가진 작은 새들이었다. 새들을 바라보던 오빠가 갑자기 몸을 일으키며 팔꿈치로 내 옆구리를 쿡 쳤다.

"주리야, 새 잡아줄게."

그 말에 나도 엉거주춤 일어나 앉았다.

삐릿삐릿 삐리릿, 옥수수를 쪼고 있는 어린 새 곁에서 어미 새가 울었다.

오빠는 어마어마한 작전을 펼치듯이 조심스러웠다. 나는 오빠의 지시대로 엄마의 반짇고리에서 굵은 무명실이 감겨 있는 실패를 꺼내왔고 오빠는 커다란 나무 소쿠리와 나뭇가지를 준비했다.

오빠가 마당 한가운데로 내려서자 새들은 재빠르게 날개를 치며 지붕 위로 날아올랐다. 오빠는 새총처럼 Y자로 된 긴 나뭇가지에 소쿠리의 한쪽을 얹어놓았다. 그러고는 열린 소쿠리 틈새로 좁쌀을 가져와 흩뿌렸다. 나뭇가지에 묶은 무명실을 느슨하게 풀며 뒷걸음치던 오빠가 속삭였다.

"주리야, 숨어!"

그 말이 떨어짐과 동시에 우리는 마루 위로 뛰어올라가 문 뒤쪽에 몸을 숨겼다. 오빠는 무명실의 한쪽 끝을 내 손에 쥐어주며 소곤거렸다.

"당기라고 하면 얼른 당겨야 해. 어때? 잘 할 수 있지?"

나는 얼떨결에 오빠에게 받은 실을 단단하게 움켜쥐고 있었다. 오빠는 아무 소리도 내지 말라고 했다.

몸을 구부리고 앉은 채 우리의 눈은 마당의 소쿠리에 쏠려 있었다. 알 수 없는 긴장에 몸이 뒤틀렸지만 움직이면 오빠에게 혼날 것 같아 꾹 참고 기다렸다. 지루한 기다림은 한동안 계속되었다.

그러던 어느 순간이었다. 지붕에서부터 푸드득 소리를 내며 하늘로 날아오른 새 한 마리가 마당을 향해 크게 원을 그리더니 소쿠리 곁으로 살포시 내려앉았다.

나는 오빠의 얼굴을 쳐다보았다. 오빠는 내 입술에 손가락을 대며 소리 내지 말라는 무언의 명령을 했다.

새는 소쿠리 속으로 들어가지 않고 그 주변에 흩뿌려진 좁쌀들을 쪼아 먹기 시작했다. 오빠의 얼굴에서 까만 눈동자가 반짝였다. 우리의 숨소리는 통제되지 못하고 더 커져갔다. 하지만 오빠는 꿈쩍도 하지 않았다.

이윽고 지붕에서 몇 마리의 새들이 더 날아와 마당으로 내려앉았다. 처음에는 소쿠리 주변을 맴돌며 좁쌀을 주워 먹던 새들이 마침내 소쿠리 속으로 종종걸음을 치며 들어갔다 나오기를 반복했다.

우리는 서로의 얼굴을 마주보며 흐뭇한 미소를 주고받았다. 마침내 새들 몇 마리가 소쿠리 안으로 들어가 모이를 쪼기 시작했다.

"당겨!"

오빠가 주먹을 불끈 쥐며 소리쳤다. 그 명령과 동시에 나는 무명실을 움켜쥔 손을 뒤로 확 잡아당겼다. 팽팽해진 실과 함께 소쿠리를 받치고 있던 나뭇가지가 앞으로 고꾸라졌고, 소쿠리는 툭 소리를 내며 땅바닥에 내려앉았다.

삐리릿, 날카로운 소리와 함께 새들이 순식간에 공중으로 솟구쳤다.

오빠는 튀어 오르듯이 그 자리를 박차고 일어나 마당으로 뛰어 내려갔다. 그리고 조심스럽게 소쿠리 안으로 손을 넣은 오빠가 나를 향해 소리쳤다.

"주리야, 새 잡았어!"

마루 끝에 엉덩이를 걸치고 앉아 지켜보던 나는 새를 잡았다는 말에 가슴이 벌렁거렸다.

잠시 뒤, 오빠의 손아귀에 어린 새가 들려 있었다. 불안한 듯 작은 머리를 정신없이 움직이는 새를 오빠는 신기한 듯 이리저리 살펴보았다.

"너도 만져봐."

오빠가 조심스레 내 손안에 새를 넣어주었다.

내 손안의 작은 새는 불쌍하게도 심하게 떨고 있었다. 빠르게 팔딱거리는 심장의 고동이 손바닥에 고스란히 전해졌다. 새의 심장이 터질지도 모른다는 생각에 울상을 짓자 오빠가 내게서 새를 낚아챘다.

방으로 들어온 오빠는 새의 한쪽 다리에 무명실을 단단히 잡아매었다. 그리고 실을 길게 풀어 벽에 박아놓은 못에 묶었다. 그제야 오빠는 손에 쥐고 있던 새를 놓아주며 말했다.

"주리야, 우리가 이제 이 새를 키우는 거야. 모이도 주고 물도 줘야 해. 잘 키우면 알도 낳을지 몰라."

오빠의 손아귀에서 벗어난 새는 이내 작은 날개를 파득거리며 푸른 하늘이 보이는 창문을 향해 날았다.

새가 창에 부딪칠 때마다 유리가 덜컹댔다.

몇 번의 탈출에 실패한 새는 체념한 듯 방구석에 있는

옷장 위로 날아올랐다.

그 난리에 새의 몸에서 떨어져 나온 깃털 몇 개가 공중에서 나풀거렸다. 나는 떨어진 깃털 하나를 주워들었다. 부드럽게 빛나는 은빛 깃털이었다.

옷장 위로 날아오른 새는 가끔 삐릿삐릿 울 뿐 그곳에서 꼼짝하지 않았다. 오빠가 좁쌀과 물을 가져와 방구석에 갖다놓았지만 새는 내려오지 않았다.

오빠는 하는 수 없이 먹이와 물 담은 그릇을 옷장 위에 올려놓았다.

새를 묶어놓은 뒤 오빠는 다시 밖으로 놀러나갔다. 작은 새도 오빠의 관심 밖으로 밀려난 것이다.

하지만 나는 될 수 있는 한, 방 밖으로 나가지 않았다. 벽시계처럼 잊을 만하면 삐릿거리며 울어대는 작은 새 곁을 떠나기 싫었다.

새는 가끔 가녀린 다리로 창틀에 매달려 삐릿삐릿 길고 뾰족한 울음을 울다가 다시 옷장 위로 올라갔다.

나는 새가 마법에 걸린 왕자라고 멋대로 상상했다. 마법에 걸려 새가 된 왕자를 돌보는 일은 내 책임이었다. 나는 의자를 딛고 올라가 옷장 위를 살폈다. 새 모이가 그대로 있었다. 나를 피해 구석에서 웅크리고 있는 새를 향해 엄마처럼 말했다.

“새야, 밥 먹어야지. 밥을 안 먹으면 키가 안 큰단다.”

하지만 새는 내 간절함을 외면한 채 좀처럼 먹이를 향해 다가오지 않았다.

그로부터 며칠 뒤, 오빠가 나가고 방 안에 혼자 있을 때였다.

그날따라 작은 새는 창틀에 매달려 뾰족한 소리로 울어댔다. 나는 방바닥에 배를 깔고 누워 그림책을 들여다보는 중이었다.

그때 창밖으로부터 삐릿, 새의 울음소리가 길게 들려왔다.

고개를 들어 창을 보니 창밖에 새 한 마리가 검은 부리로 유리를 탁탁 쪻으며 날갯짓을 하고 있었다. 엄마 새가 찾아왔다는 생각이 문득 스쳤다. 아아, 창밖의 새를 본 작은 새의 날갯짓은 거의 필사적이었다. 작은 몸뚱이를 쉬지 않고 유리창에 내던지며 삐릿삐릿 짧고 뾰족하게 울어댔다.

그걸 본 나는 벌떡 몸을 일으켜 창가로 다가갔다. 다리에 묶인 실을 풀어주리라, 그리고 새가 엄마 새에게 가도록 창문을 활짝 열어주어야지. 오로지 그 생각뿐이었다.

내 기척에 놀란 듯 작은 새는 날개를 파닥거리며 도로 옷장 위를 향해 날아올랐다. 작은 새가 눈앞에서 사라지자 창밖의 새는 낮게 날며 주위를 돌다가 어디론가 사라져버렸다. 나는 옷장 위에 웅크린 가엾은 작은 새를 바라보며 나직이 한숨을 내쉬었다.

그날 밤, 늦도록 뛰어놀다가 들어온 오빠가 여느 날처럼 라디오 연속극을 들으며 졸고 있을 때쯤이었다.

갑자기 이상한 느낌이 들었다.

언제부터인가 새의 울음소리가 들리지 않아서였다.

나는 곁에 누운 오빠를 흔들어 깨웠다.

"오빠, 새가 울지 않아."

잠이 쏟아진 오빠는 귀찮다는 듯 돌아누웠다.

라디오에서는 흥미진진한 연속극이 계속되고 있었지만 내게 그 소리는 더 이상 들리지 않았다. 다만 작은 새가 삐릿삐릿 울기만을 간절히 기다렸다. 내 신경은 온통 컴컴한 방구석에 놓인 옷장 위로 쏠려 있었다. 달빛을 받은 능금나무 그림자가 벽에 시커멓게 어룽거렸지만 무섭지 않았다. 나는 작은 새의 울음소리를 오래도록 기다리다가 결국은 몰려든 잠을 이기지 못했다.

날이 밝자 일찍 잠에서 깬 나는 잠든 오빠의 다리를 헤치고 의자를 놓아 그 위에 올라섰다. 그러나 작은 새가 보이지 않았다. 나는 오빠 흉내를 내며 휘파람을 휘익 불어 새를 불러보았다. 하지만 새의 움직임이 없었다. 의자 위로 까치발을 들자 옷장 구석에 미동없이 누워 있는 작은 물체가 눈에 들어왔다. 그것을 본 순간, 가슴이 덜컥 내려앉았다.

옷장 꼭대기에 매달리다시피 가까이 다가가보니 새가 눈을 하얗게 뒤집어 까고서 누워 있었다. 작은 새의 연분홍색 다리는 허공을 향해 들려 있었다. 새가 죽었다는 생각이 들자 심장이 걷잡을 수 없이 콩닥거렸다.

"오빠, 새가 죽었어!"

나는 소리를 지르며 그대로 의자에서 뛰어내렸다. 그 참에 다리를 짓밟힌 오빠가 놀라서 급하게 일어나다가 나와 부딪쳤다. 나는 앞으로 고꾸라졌다. 그러나 아픈 것도 잊고 다시 소리쳤다.

"오빠, 새가 죽었어!"

말이 목구멍에 걸려 갈라져 나왔다.

"아, 정말이네?"

그새 옷장 위를 살펴본 오빠가 난처한 표정을 지으며 말했다.

그때였다. 삐릿삐릿, 다시 새의 울음소리가 내 귓가에 들리는 듯했다.

"오빠, 새가 울고 있어."

"주리야, 새는 이미 죽었어. 너도 봤잖아. 죽은 새는 울지 않아."

하지만 어디선가 새 울음소리가 계속 들려왔다.

"아냐, 오빠. 새가 아파. 새가 울어!"

"새들은 어차피 죽기 마련이야. 내가 잘 묻어줄게, 울지 마."

오빠가 내 눈물을 닦아주며 말했다. 오빠는 옷장 위에서 죽은 새를 꺼냈다. 그리고 라면 상자에 새를 넣고는 노끈으로 단단히 묶었다. 우리는 죽은 새가 담긴 라면 상자를 들고서 뒷마당으로 갔다.

오빠는 모종삽으로 마당 구석에 구덩이를 파기 시작했다. 작은 삽으로 구덩이를 파는 건 쉽지 않아 보였다. 한참을 끙끙거린 뒤에야 상자를 묻을 수 있을 만큼 구덩이가 넓어졌다. 오빠는 그 구덩이 속에 죽은 새가 담긴 상자를 넣었다. 그러고는 흙으로 구덩이를 다시 덮었다. 구덩이 위로 흙더미가 소복하게 쌓였다. 오빠는 손바닥으로 흙을 다져서 작은 봉분을 만들었다. 새의 무덤이 봉긋하게 만들어졌다. 오빠는 능금나무에서 가지를 꺾어와 다시 한 번 더 부러뜨려 나무를 십자 모양으로 묶었다. 나무 십자가였다. 새의 무덤에 나무 십자가를 꽂은 오빠가 팔꿈치로 나를 툭 치며 말했다.

"주리야, 기도해. 새가 천국 가게 해달라고 말이야. 너는 착하니까 하나님이 네 기도는 들어주실 거야."

나는 얼떨결에 두 손을 모으고 눈을 감았다. 뭐라고 기도했는지 그 내용은 생각이 나지 않는다. 다만 구덩이 속의 작은 새가 얼마나 갑갑하고 무서울까, 그런 걱정을 한 기억이 있다. 죽은 새를 묻고 난 뒤 오빠는 나를 데리고 집 밖으로 나섰다. 동네 골목길에는 오빠 친구들 몇 명이 모여 구슬치기를 하고 있었다. 그들이 오빠를 불렀지만 오빠는 걸음을 멈추지 않았다.

우리는 골목길을 나와 초등학교 앞으로 갔다. 방학 중

이었지만 학교 앞길은 여전히 붐볐다. 차선도 없는, 그리 큰길은 아니었지만 그곳은 택시와 자가용이 많이 지나다녔고 사람들의 발걸음도 잦은 곳이었다. 우리는 학교 앞의 문방구로 들어갔다.

"주리야, 갖고 싶은 거 말해봐. 오빠가 사줄게."

나보다 네 살 많은 오빠가 어른스럽게 한쪽 팔로 내 어깨를 감싸며 말했다. 하지만 나는 쉽게 결정할 수 없었다. 어린 내 눈에 그곳은 보물섬처럼 신기한 것들의 천지였다. 이것저것 만져보기만 할 뿐 아무것도 고르지 못하자 오빠가 진열대 위에 놓인 공을 내게 건넸다.

"이 공은 어때? 며칠 후에 수영장 갈 때 쓰면 좋겠지? 함께 공 던지기도 하고 말이야."

수박만 한 비닐 공이었다. 빨강, 파랑, 노랑 줄무늬 비닐 공. 거기다 수영장에서 물놀이할 때 쓸 수 있다는 것도 무척 마음에 들었다. 내가 고개를 끄덕이자 오빠는 바지 주머니에서 돈을 꺼내어 문방구 주인에게 주었다.

문방구를 나온 뒤 오빠는 몇 걸음인가 뒷걸음을 치더니 내게 공을 던지라고 했다. 나는 힘껏 공을 던졌지만 오빠에게 가 닿지 못하고 땅으로 힘없이 굴러 떨어졌다.

오빠는 다시 던지라며 공을 나에게 던졌다. 나는 공을 던지는 것도 받는 것도 몹시 서툴렀으므로 오빠는 내가 공을 던질 때마다 이리저리 뛰어다니며 떨어진 공을 줍기에 바빴다. 그렇게 몇 번인가 공을 주고받을 때였다.

내가 던진 공이 땅바닥에 떨어져 구르자 오빠가 구르는 공을 잡으려고 뒷걸음을 쳤다. 그때 골목길에서 차 한 대가 미끄러지듯 빠져나오다가 끽 소리와 함께 급히 멈춰 섰다. 오빠의 몸이 둔탁한 소리를 내며 차 위로 풀썩 날아올랐다. 마치 작은 새의 몸에서 떨어져 나온 은색 깃털처럼 오빠의 몸은 잠깐인가, 공중에서 힘없이 나풀거렸다. 찰나에 벌어진 일이었다. 사람들이 곧 우리 주변으로 몰려들었다. 나는 우리를 에워싼 사람들에게 떠밀려 바닥에 주저앉았다. 응급차의 사이렌 소리, 작은 관을 껴안고 통곡하던 엄마의 절규와 함께 오빠는 내 곁을 영영 떠났다.

오빠는 곱상한 생김새와는 달리 개구쟁이였다. 동네 아이들을 줄 세워 몰고 다니며 목청 높여 노래를 불렀고 전쟁놀이를 즐겼다. 내가 시무룩할 때면 물구나무서기로 곧잘 나를 웃겼다. 물구나무서기를 할 때면 지금 자신이 지구를 들고 있는 거라며 큰소리쳤다. 내가 독감에 걸려 먹지도 못하고 며칠째 끙끙 앓고 있을 때는 마치 자기가 아픈 것처럼 눈물을 쏟으며 서럽게 울어주던 오빠. 내 어린 날의 유일한 친구이며 우상이 그렇게 사라져버린 것이다.

그날 이후 삐릿, 짧고 날카로운 새의 울음소리는 내게서 떠나지 않았다. 가녀린 연분홍 다리가 실에 묶인 채 필사적으로 탈출을 시도하던 작은 새의 울음소리. 그 새가 울면 내 가슴에 통증이 왔다. 콕콕 가슴을 쪼는 것처럼 뾰족한 통증이었다. 나는 점차 내성적으로 변했고, 또래 아이들과 잘 어울리지 못했다. 하지만 세월이 흐르면서 내 가슴을 둥지 삼아 울던 작은 새의 울음소리도 차츰 뜸해졌다.

14
L의 노트 7

이상은 떠날 채비를 마쳤다. 그토록 소원하던 탈출구를 찾아서 동경으로 가게 된 것이다. 거기서 러시아문학과 영문학 그리고 유럽 대륙의 초현실주의와 다다이즘을 공부하여 더 넓은 세계를 만날 기대를 품었다. 그의 남루한 가방에는 간단한 옷가지와 책 몇 권, 그의 습작품들이 담겼다. 병색이 깊어진 그의 얼굴을 보고 있자니 긴 여정에 대한 걱정이 앞섰다. 동경으로 가려면 열두 시간 동안 기차를 타고 부산으로 내려가 그곳에서 관부연락선을 타고 여덟 시간의 뱃길을 헤쳐 가야만 하였다. 그렇게 일본에 도착해도 끝이 아니었다. 또다시 스물네 시간 동안이나 기차 안에서 시달려야만 그가 원하는 동경에 갈 수 있었다. 하지만 그는 신열에 들뜬 얼굴로 내 걱정을 흘려들었다. 나는 경성역까지 그를 배웅하였다.

그가 기차에 탄 것을 보고 역을 나오려는데 어디선가 정오의 사이렌이 길게 울었다. 매일 듣던 그 소리가 그날따라 어쩐지 섬뜩하게 들렸다. 나는 걸음을 멈추고 뒤를 돌아보았다. 기차가 떠난 대합실이 텅 비어 있었다. 나는 맥없이 서서 썰렁한 대합실을 바라보다가 못내 불길한 마음을 털어내지 못한 채 발걸음을 옮겼다.

그를 떠나보내고 나서 나는 한동안 휘청거렸다. 이 세상에 의지할 사람이 아무도 없었다. 그도 나를 의지하였지만 스무 살의 나도 그를 의지하고 있던 터였다. 하지만 그대로 주저앉아 있을 수만은 없었다. 이상이 떠나며 부탁한 그의 어머니와 동생을 보살피는 일이 남아 있었다. 여고 졸업을 앞두고 있던 동생 옥희의 취직자리를 알아보았고 일본으로 갈 경비를 마련하려고 일거리를 찾아다녔다.

나는 젊었고 당시로는 드물게 대학에서 영문학을 공부하였지만 번듯한 직장은 꿈도 꿀 수 없었다. 여성의 사회적 위치가 한참이나 낮은 시대적 상황이 담벼락처럼 내 앞길을 막고 있었다. 절실하게 돈이 필요하였기에 유리한 조건을 내세울 형편이 아니었다. 그런 내게 문을 열어준 곳은 일본인이 경영하는 술집이었다.

그 당시의 술집은 신문물을 먹은 지식인들이 많이 드나들었다. 그들 중에는 예술인들도 제법 있었다. 일은 크게 힘들지 않았으나 일본인 직원이 나를 조선인이라며 얕보고 차별했다. 나는 오기가 생겼다. 그들에게 절대 질 수 없었다. 나는 일본말을 완벽하게 구사할 뿐 아니라 그녀보다 더한 지식인이라는 자부심이 있었다. 내 당당함에 서서히 그녀의 눈빛이 달라졌다.

동경에 도착한 이상에게 가끔 소식이 들려왔다. 희망보다는 암울한 소식이 담긴 서신이었다. 그가 꿈꾸었던 동경은 경성과 별로 다를 게 없다고 하였다. 다만 유럽을 축소해놓은 듯 사이비 서구 문명을 흉내 내고 있는 곳이라며 실망을 드러내었다. 그런 와중에 그의 건강은 날로

황폐해져 겨우 겨우 버티고 있는 것 같았다. 돈을 마련하기 위해 잡문을 쓴다고도 하였고, 또 가끔은 김소운을 만난다고도 하였다. 이상은 차츰 동경에 대해 환멸을 느꼈고 그곳을 떠나 파리에 가고자 하였다. 하지만 무엇보다도 금전적인 여유가 없었다. 그의 절망은 깊어만 갔다.

하지만 그토록 절망적인 상황에서도 그는 펜을 놓지 않았다. 도쿄의 이시카와현 하숙집에서 각혈에 시달리면서도 소설과 수필을 썼다. 그의 단편소설인 〈동해〉와 〈종생기〉, 〈환시기〉, 〈실화〉 등과 〈권태〉나 〈슬픈 이야기〉 등의 수필이 그때의 작품이다.

나는 그가 전하는 우울한 소식에 정신이 번쩍 들었다. 희망이 사라지면 몸의 병도 깊어진다는 걸 알고 있었기 때문이다. 나는 그에게 편지를 보냈다. 하루빨리 돌아와 치료를 하자는 내용이었다. 유럽으로 가는 길마저 막힌 그는 체념한 듯 3월경에 경성으로 돌아가겠다고 엽서를 보내왔다.

그가 떠난 해의 겨울은 유난히 추웠다. 나와 함께 이화여전에 다니던 친구들은 발목 위까지 올라온 신식 치마에 번쩍이는 에나멜 구두를 신고 미쓰코시 백화점 옥상의 카페에서 차를 마시며 상류사회 놀이를 즐겼다. 그러나 나는 오로지 돈을 마련하기 위해 바의 여급으로 일하며 뼛속까지 파고드는 추위를 견디고 있었다.

가끔은 이상과 다정했던 날들을 떠올리며 그가 좋아하던 음악을 들었다. 슈베르트를 좋아하던 나와 달리 이상은 모차르트나 바그너의 음악을 즐겼다. 슈베르트의 곡을 들으면 마음이 차분히 가라앉지만 모차르트나 바그너의 음악은 현재에 만족하지 못하는 천재의 초조함이 보여 좋다고 하였다. 어디로 튈지 모르게 격정적으로 내달리다가도 한순간에 애잔해지는 변화무쌍한 그들의 음악에서 그는 자기와 닮은 천재를 본 것이다.

그렇게 겨울이 지나고 봄이 시작될 무렵이었다.

전보 한 장이 날아들었다.

이상이 위독하다는 전보였다.

발신인은 김소운, 동경에서 그와 가깝게 지내던 시인이었다.

나는 그날 처음으로 하늘이 노랗다는 느낌을 받았다.

이상의 가족에게 소식을 전하였지만 다들 내 얼굴만 쳐다보았다. 당장의 생계가 걱정인 그들이 일본으로 달려갈 수는 없었다. 나는 하루바삐 그에게 가기 위해 서둘렀다. 어떤 상황인지 내 눈으로 직접 보아야 어떻게든 그를 살릴 방법을 찾을 수 있을 것 같았다. 통장의 돈은 나 혼자 경비로 쓰기에도 턱없이 모자랐다. 하는 수 없이 내가 일하던 술집에서 돈을 빌렸다.

이상이 꺼져가는 희망을 되살리기 위해 가던 길을 내가 갔다. 나는 그 길 위에서 희망과 절망을 줄타기하였다. 다급한 내 마음과 상관없이 기차는 느리게 달렸다. 도착하는 역마다 사람들과 짐들을 토해놓고 그 빈자리를 다시 새로운 얼굴들과 보따리들로 채웠다.

그렇게 열두 시간 동안 내 속을 시커멓게 태우며 달리던 기차가 마침내 부산역에 도착하였을 때 나는 절인 배추처럼 지쳐버렸다. 하지만 쉴 틈이 없었다. 곧 일본으로 가는 배를 타야 했기 때문이다.

그날따라 풍랑이 거세서 뱃멀미가 심하였다. 거기에 더하여 기름 냄새를 견디기 힘들었다. 나는 울렁거리는 속을 달래려고 갑판 위에서 시간을 보냈다. 그곳에서 바라보는 현해탄의 물은 무섭도록 시퍼렜다.

집을 떠난 지 거의 하루가 지나서야 시모노세키항에 도착하였다. 거기서 동경까지 다시 스물네 시간 동안의 기차 여정이 기다리고 있었다. 그 긴 시간 동안 내 소원은 단 한 가지였다. 제발 살아만 있어라. 그의 살아 있는 모습을 확인하면 어떻게든 경성으로 데리고 올 참이었다.

동경에 도착하자마자 동대 병원 입원실로 달려갔다. 다다미가 깔린 방들을 여럿 지나 그가 입원하였다는 방의 문을 여니 이상이 병색 짙은 얼굴로 거기에 누워 있었다.

방문 열리는 소리에 눈을 뜬 이상이 나를 알아보곤 희미하게 미소를 지었다. 가슴이 아릿했다. 얼마나 속 타게 나를 기다렸을까. 곁으로 다가앉으며 그의 손을 그러잡았다.

망가질 대로 망가진 그의 몰골은 처참하였다. 뼈만 앙상히 남은 육체가 간신히 숨을 붙잡고 있었다. 죽어가는 그가 믿기지 않았다. 하지만 눈물은 나오지 않았다. 어떻게든 그를 살려야겠다는 마음뿐이었다. 그는 내가 곁에 있는지 확인하려는 듯 가끔씩 감은 눈을 떴다가 다시 감았다.

그런 그의 귀에 대고 내가 물어보았다.

"먹고 싶은 것 있어요?"

그의 입에서 신음 같은 말소리가 새어 나왔다.

"셈비키야의 멜론."

그가 다시 입을 다물었다. 나는 무엇이든 그가 원하는 것을 해주고 싶었다.

나는 종종걸음으로 내달려 그가 찾는 멜론을 구해서 돌아왔다.

멜론을 깎아 숟가락으로 조금 떠서 그의 입에 넣어주었지만 넘기지 못하였다. 다만 향기가 좋다는 듯 얼굴에 미소가 잠시 머물다 사라졌다. 그뿐이었다. 눈을 감은 채 표정 한 번 지은 것이 전부였다.

나는 그의 손을 부여잡고 앉아 꼼짝하지 않았다. 가끔 그의 눈이 크게 떠졌다 다시 감겼다. 나는 그 모습을 망연자실하게 바라보았다.

밤이 되자 담당 의사가 와서 다음 날 열한 시쯤 운명할 것 같다며 아침에 다시 찾아오라고 하였다. 나는 이상이 머물던 하숙을 찾아가 그날 밤을 거기서 보냈다.

다음 날 아침 일찍 일어나 이상의 병실을 찾았다. 내 기척에도 그는 감은 눈을 뜨지 않았다. 내가 곁에서 그의 손을 붙잡아 흔들고 안타까워하여도 모르는 척 나를, 이 세상을, 유언 한마디 없이 떠나고 있었다. 그의 손이 차츰 식어갔다. 나는 의사가 운명하였다고 그의 얼굴에 흰 천을 덮을 때까지 이상의 손을 붙잡고 있었다.

낯선 타국에서 숨을 놓은 이상의 시신 앞에서 나는 정신이 아득해졌다. 무엇을 어떻게 해야 할지 두렵고 떨렸다. 그때 나는 겨우 스물한 살이었다.

이상이 죽었다는 소식에 동경에서 유학하던 예술가들 몇몇이 영안실로 모여들었다. 그들이 건네는 위로의 말도 귓속으로 들어오지 않았다. 그러다 어느 순간, 몸과 마음의 피로가 극심해져 이상의 시신 곁에 털썩 주저앉고 말았다.

훗날, 길진섭이 이상의 데스마스크를 떴다고 하였지만 기억에 없다. 그 자리에 누가 있었는지도 모르겠다. 어쩌면 믿기지 않아 도저히 받아들일 수 없던 그 상황을 내가 거부했는지도 모르겠다.

일본 땅에 이상의 유해를 묻을 수는 없었다. 어떻게든 조선으로 데리고 와야 한다는 의무감이 생겼다. 하지만 병원의 절차는 몹시 까다로웠다. 며칠 밤을 긴장으로 보내고서야 겨우 그의 유해를 받을 수 있었다. 유해를 화장하여 경성으로 돌아오기 전, 그의 마지막 행적을 전하여 들었다.

그가 사망하기 두어 달 전쯤, 그러니까 1937년 2월경이었다.

일본 경찰은 하숙을 나와 산책하고 있던 그를 불심검문하였고 거동이 수상하다며 연행하였다. 병이 깊어져 몰골이 상한 이상이었지만 정신까지 상한 것은 아니었다. 그는 반항하였다. 자기가 왜 이유도 없이 잡혀 경찰서에 수감되어야 하는지 납득되지 않았기 때문이다. 그런 그에게 일본 경찰은 사상 불온자 혐의를 뒤집어씌웠다. 이상은 도쿄의 니시간다 경찰서에 수감되어 한 달여 동안 조사받으며 병이 급속도로 악화되었다. 도쿄제국대학 부속병원으로 이송되었지만 상황을 돌이킬 수는 없었다. 이상의 이십육 년 칠 개월의 생이 그렇게 마감되었다.

나는 이상의 유골함을 품고 동경을 떠났다. 그동안 제대로 먹지 못하고 잠도 못 잔 탓인지 거울 속 내 얼굴은 병자처럼 누렇게 떴다. 진이 다 빠진 몸은 쇳덩어리가 매달린 듯 무거웠으나 지체할 수 없었다. 스물네 시간 동안 기차 안에서 시달리다가 시모노세키에 도착해 연락선을 탔다.

모든 것이 꿈처럼 생각되었다. 낙랑파라에서 수줍게 나를 바라보던 그의 모습도, 그와 함께 살던 개울가 집에서의 신혼도 한낮에 꾼 꿈처럼 전부 부질없었다. 내가 좋아하던 그 쓸쓸한 웃음과 세 꺼풀진 눈을 다시는 볼 수 없다는 사실이 믿기지 않았다. 그의 뼛가루가 담긴 하얀 유골함을 끌어안고서 사는 것이 헛헛하여 나는 울었다. 행여 누가 들을까, 통곡도 못하고 숨죽여 마른 울음을 울었다.

현해탄의 검푸른 물이 출렁거리자 나도 모르게 충동이 일었다. 함께 죽자던 그의 말이 귓가에 스쳤다. 그는 죽었는데 나 혼자 살아남아 그의 유골함을 들고 바다를 건너고 있다는 게 미안하고 또 미안하였다. 문득 이루지 못할 사랑에 괴로워하다가 현해탄에 몸을 던진 윤심덕과 김우

진의 신문 기사가 떠올랐다. 사랑은 때로 무모한 용기를 준다지만 그때 내게는 그럴 용기조차 없었다. 내게는 할 일이 남아 있었기 때문이다. 이상의 어머니, 박씨 부인. 그에게 아들의 유골만이라도 전하고 싶었다.

박씨 부인은 어릴 때 천연두를 앓아 평생 얼굴에 얽은 자국을 달고 살았지만 눈빛은 반짝였고 몸은 꼿꼿하였다. 평소에도 부지런하여 손을 놀리지 않았다. 낮에는 남의 집 바느질거리를 받아 일하였고 모두가 잠든 밤에도 홀로 깨어 식구들의 옷을 지었다. 조금의 틈이라도 날 때면 책을 즐겨 읽었다. 병 앓는 아들이 사업하다 파산하여 저당 잡힌 집을 날려도, 여자와 살림을 차렸다는 소식이 들려도 흔들림 없는 신앙처럼 아들을 믿어주었다. 그저 아들이 크게 되려고 저리도 범상치 않은 행동을 한다고 여겼다. 박씨 부인에게 이상은 세상의 전부였다.

나는 역에서 나오는 길로 곧장 이상의 어머니에게 갔다. 이상의 유골함 앞에서 그의 어머니는 무표정하였다. 아니 살아 있는 자의 표정이 아니라고 하여야 옳았다. 맥이 다 풀려 눈동자에 초점이 없었다. 내가 동경에 머무는 동안, 집안에는 흉사가 연달아 있었다. 이상이 동경에서 이승의 끈을 놓기 전날에 그의 아버지가 죽었고 아버지의 죽음에 놀란 할머니까지 급작스레 세상을 떠났다. 거기에 내가 이상의 유골을 들고 나타났으니 유골로 돌아온 아들을 보며 박씨 부인의 심정이 어떠하였을지 나는 그 마음을 헤아릴 길이 없다.

이상의 유골은 미아리 공동묘지에 묻혔다. 비목에는 내 이름이 새겨졌다. 나는 장례를 치른 후에도 이상의 어머니 곁에서 며칠 더 머물렀다.

15
리셋

———————————— 보스턴의 봄은 긴 겨울에 비해 너무 짧게 지나갔다. 비가 자주 내렸고 날이 갈수록 대서양의 습기를 품은 폭염이 기승을 부렸다.

긴 여름방학이 시작되었다. 무려 석 달간의 방학이었지만 쉴 틈은 별로 없었다. 종일 방에 갇혀 원고와 씨름을 하다 보면 어느 틈에 사방이 어둑해졌다. 반 고흐가 즐겨 쓰던 로열 블루 톤으로 물든 하늘 밑의 집들에서 노란 불빛이 새어나왔다. 기차는 정해진 시간마다 정확히 뾰족지붕의 집 옆으로 지나갔다. 차량 두 칸에 하루의 일과를 마치고 집으로 돌아가는 사람들을 싣고 빠르지도 느리지도 않게 달렸다. 그것은 찬란하고 평화로운 풍경이었다. 하지만 이상하게 그 시간이면 마음이 한없이 쓸쓸해지며 칼로 베인 듯 가슴에 아릿한 통증이 찾아오곤 했다.

뾰족지붕 아래에서 하숙생들은 나날이 높아만 가는 기온과 습도에 허우적대고 있었다. 모두들 한낮이면 뜨거운 폭염을 피해 집 안에 숨죽이고 있다가 밤이 되어서야 방에서 나왔다. S가 더위에 지친 우리를 위해 삼계탕을 끓여주던 저녁, 우리는 식사를 마치고 모처럼 거실의 소파에 모여 앉았다. 거실의 한구석에서는 엘몬이 첼로의 현을 긁어대고 있었다. 마치 톱으로 쇠를 문지르는 듯 퍽이나 신경이 거슬리는 소리였다. 시작한 지 몇 분도 안 되어 달아나려고 하자 M이 엘몬을 달랬다.

"얘야, 악기는 네 평생의 친구가 될 수 있단다. 그러니 힘들어도 삼십 분만 참으렴."

그는 엘몬이 던져버린 활을 찾아 아이에게 다시 쥐어주며 사정했다. 그러나 엘몬은 고개를 저으며 앙탈을 부렸고 M은 절절매며 아이의 비위를 맞추어 어떻게든 연습을 시키려 했다. 그 모습을 지켜보던 MIT가 주머니에서 휴대폰을 꺼내어 비디오를 찍으며 차갑게 내뱉었다.

"엘몬, 너는 오늘도 아무 죄 없는 아버지를 힘들게 하는구나! 좋아, 계속해봐라. 유튜브로 전 세계 사람들에게 네 행패를 보여줄 테니."

그의 말에 엘몬은 울음을 터뜨리며 악을 썼다.

"나 지금 힘들단 말이야. 아무것도 하고 싶지 않아. 어린아이를 괴롭히는 건 아동 학대라고, 이 루저야!"

그러나 MIT는 눈 하나 깜빡이지 않고 아이에게 카메라 렌즈를 더 바싹 들이댔다. 아이가 마침내 울음을 삼키며 M에게서 활을 낚아챘다. 그러더니 "딱 삼십 분만 할 거야"라고 소리쳤다. 유미가 MIT에게 엄지와 검지를 동그랗게 말더니 잘했다는 오케이 사인을 보냈다. 엘몬이 첼로 앞에 앉아 다시 활을 잡는 모습을 지켜보던 M이 한숨을 푹 쉬며 푸념했다.

"요요마 같은 대가가 되길 바라는 건 아니오. 아무것도 안 시키면 종일 컴퓨터 게임만 하니 뭐라도 시켜보려는데 쉽지가 않소. 저 아이를 잘 이끌어줄 방법이 없을까,

난 꿈에서도 걱정이오."

엘몬은 몇 번인가 우리 쪽을 힐끔거리다가 포기한 듯 연습을 시작했다. 그의 첼로 소리가 점점 부드러워졌다. M은 모처럼 느긋하게 의자에 앉아 눈을 감았다.

나는 번역물 속에 파묻혀서 보스턴의 긴 여름을 지냈다. 집에서 더위를 견디는 게 힘들어 한낮에는 도서관으로, 카페로 에어컨이 나오는 곳을 찾아다녔다. 그곳에서 종일 고개 들 틈도 없이 일하다가 잠들 시간이 되어서야 지친 몸으로 돌아왔다.

폭염이 계속되다가도 간간히 장대비가 시원하게 쏟아져 내렸다. 대서양의 습기가 모여 잿빛 구름이 낮게 깔리면 번개가 무섭도록 번쩍거렸고 이어서 천둥이 울었다. 영하 10도를 넘나드는 맹추위와 폭설에 속수무책으로 갇혀 지내던 겨울의 추위도 매서웠지만 여름의 더위 또한 만만치 않았다. 하지만 도무지 끝날 것 같지 않던 긴 여름의 더위도 9월이 시작되며 한풀 꺾였고 아침저녁으로 건조한 바람이 불었다.

새 학기가 시작되었지만 몇 달 동안 매달렸던 번역 일

을 무사히 끝내고 나니 한결 마음의 여유가 생겼다. 가끔 뒤뜰에 나가 밤하늘의 별을 올려다보았다. 별은 바라볼수록 신비함으로 가득했다. 우주 앞에 나는 얼마나 작은가, 그 생각을 하다가도 불현듯 가슴이 아리며 그가 간절히 보고 싶어졌다.

한 번만이라도 만나고 싶었다. 오히려 만나고 나면 그를 단념할 수 있을 거라는 생각도 들었다. 그러기 전까지 그에 대한 궁금증과 갈증에 늘 시달리며 생을 보내게 되리라는 막연한 불안감이 고개를 들었다.

그즈음 저녁 식사를 마치면 일과처럼 산책을 나갔다. 집 주변의 동네를 어슬렁거리면 계절을 느낄 수 있어 좋았다. 푸르던 나뭇잎들이 주홍빛으로 물들어갔다.

그날도 저녁 산책 후, 늘 열려 있는 옆문을 통해 집 안으로 들어가려다가 나는 걸음을 우뚝 멈춰 섰다. 코끝을 스치는 냄새가 내 발목을 붙잡은 것이다. 마치 마른풀이 타는 듯한 독특한 냄새로 언젠가 맡아본 적 있는 냄새였다.

나는 무심코 냄새가 나는 쪽으로 고개를 돌렸다. 거기에 B교수가 있었다. 종종 그곳에서 담배를 피우는 모습을 본 적이 있어 돌아서려다가 퍼뜩 기억이 돌아왔다. 그것은 바로 골루아즈 담배 냄새였다.

그 담배는 뉴욕을 다녀온 뒤 내 책상 위에 늘 놓여 있었는데 얼마 전부터 담뱃갑이 보이지 않았다. 혹시나 해서 방 안을 구석구석 살펴보았지만 찾을 수 없었다. 나는 그 집의 장난꾸러기가 몰래 치운 거라고 마음대로 단정 짓고는 골루아즈 담뱃갑에 대해 까마득히 잊고 있었다.

다시 맡아보아도 그 냄새가 틀림없었다. 여느 담배와는 확연히 다른 독특한 향이 있기 때문이다. 문득 B교수가 2층으로 올라와 내 방 앞을 서성거렸다는 미도리의 말이 생각났다.

인기척을 느낀 B교수가 내 쪽을 힐끗 쳐다보더니 유난히 허둥대며 담배를 바닥에 급히 비벼 껐다. 그러고는 예의 그 무표정한 얼굴로 걸어와 나를 지나쳐 집 안으로 들어가버렸다. 나는 잠시 멍하게 서 있었다.

그 상황이 믿기지 않았다. 내키지 않았지만 확인하고 싶었다. 그가 서서 담배를 피우던 곳으로 갔다. 그리고 땅바닥에서 그가 버린 담배꽁초를 주워들었다. 분명히 골루아즈 담배였다. 가슴이 떨렸다. 나와 눈도 제대로 마주치지 않던 사람이었다. 그가 몰래 내 방에 들어왔을지도 모른다는 생각에 마음이 복잡해졌다. 나는 집 안으로 선뜻 들어가지 못하고 한동안 그곳에서 서성였다. 창문을 통해 집 안이 들여다보였다.

부엌 옆에 있는 간이 테이블을 사이에 두고 유미와 버클리, MIT의 모습이 보였다.

유미는 그들의 찻잔에 물을 붓고 있었다. 입가에 잔잔한 미소를 띤 채 부드러운 몸짓이었다. 늘 입고 다니던 후드티와 청바지 대신 맨다리가 드러난 미니스커트를 입은 모습이 어쩐지 낯설어 보였다. 맨다리에 미니스커트를 입기에는 추운 날씨였다. 얼굴이 더욱 희고 도드라지게 새빨간 립스틱까지 바른 그녀가 고개를 뒤로 젖히며 웃을 때면 그녀의 웨이브 진 풍성한 머리가 등에서 출렁거렸다. 그런 그녀의 모습은 무척이나 고혹적이었다. 그녀를 둘러싼 젊은 남자들의 얼굴에도 미소가 번져 있었다.

나는 너무도 낯선 그녀의 모습에서 눈을 뗄 수 없었다. 유미는 버클리에게 집중하다가도 곧 MIT와 눈빛을 교환하며 둘 사이에서 줄타기를 즐기는 듯 보였다. 짝짓기, 여자가 남자를 만나고 있었다.

그렇게 창밖에 서서 그들을 바라보는데 문득 나의 젊은 날들이 떠올랐다. 나는 유미만 한 나이였을 때 미니스커트나 하이힐을 한 번도 신은 적이 없었다. 더구나 시선을 강탈하는 빨간 립스틱은 생각지도 못할 일이었다. 결혼 적령기의 젊은이들이 서로에게 잘 보이려고 꾸미는 건 자연스러운 현상인데 내겐 왜 그토록 어색했을까. 외출을 하려다가도 옷이 눈에 튀면 되돌아가 수수한 옷으로 갈아입고서야 마음이 편해지는 이유가 무엇이었을까. 도무지 알 수 없었다.

그날 밤은 잠을 설쳤다. 잠을 자려고 해도 허둥대던 B 교수의 모습과 고혹적인 유미의 모습이 지워지지 않았다. 김준후, 결국 그거였나? 그에게도 유미처럼 매력적인 여자가 나타난 것인가? 그런 생각을 하자 나는 한없이 주눅 들었다.

가을이 점점 깊어갔다. 하늘은 새파랗게 높았고 단풍나무 숲에 둘러싸인 도시는 온통 울긋불긋하게 채색되었다.

수업이 없는 날이면 집 근처에 있는 공원을 자주 거닐었다. 산책을 하다가 멋진 단풍나무를 보면 걸음을 멈추기도 했다. 단풍잎에 햇빛이라도 비치면 색은 더 선명해져 나는 쉽게 걸음을 떼지 못했다. 사람의 손으로 도저히 그려낼 수 없는 아찔한 아름다움 앞에서도 김준후, 그가 떠올랐다. 그도 종종 단풍나무 앞에서 걸음을 멈출까. 그때의 그는 무슨 생각을 할까. 행여 그의 생각 속에 내가 있기나 할까. 그 생각은 늘 깊은 한숨으로 끝이 났다.

때가 되면 고개를 떨어뜨리는 봄꽃처럼 단풍도 절정이 지나면서 누렇게 말라 떨어지기 시작했다. 뾰족지붕의 집 마당에도 낙엽이 쌓여갔다.

차고가 있는 앞마당에 높이가 오 미터쯤 되는 캐나다 단풍나무가 몇 그루 있어 낙엽을 일주일 정도만 치우지 않으면 무릎까지 덮일 정도로 나뭇잎이 쌓였다.

S는 재활용 포대 자루에 낙엽을 쓸어 담으며 잠깐 동안 누린 즐거움의 대가가 크다고 툴툴거렸다. 하지만 나는 낙엽 쌓인 마당이 좋았다. 그래서 외출에서 돌아와 집으로 들어갈 때마다 일부러 캐나다 단풍나무 밑으로 걸었다. 그럴 때면 발밑에서 마른 잎들이 아사삭 부서지는 소리가 났다. 기분 좋은 소리였다.

하루가 다르게 기온이 떨어졌다. 한낮은 그런대로 견

덜 만했지만 밤에는 영하로 내려가는 날도 있었다. 점차 사람들의 옷이 두꺼워지고 걸음도 빨라졌다. 다들 매서운 겨울을 앞두고 서두르는 느낌이었다. 그러나 뾰족지붕 아래의 사람들에게 별다른 일은 없었다. 다만 작은 변화가 있다면 엘몬의 짜증 내는 소리가 줄어들었고 그 대신 그가 첼로 연습하는 소리를 더 자주, 더 길게 들을 수 있다는 정도였다.

엘몬은 B교수가 주선하여 상담을 받고 있다고 했다. 그 상담은 아이큐가 높은 아이들을 대상으로 하는 특별한 상담이었다. 학교 측에서는 M의 동의를 얻어 엘몬과의 상담 과정을 교육 자료로 사용할 거라고 했다.

그럴 즈음, S가 저녁 식사 후에 티타임을 갖자고 했다. 나는 몇 번이나 열린 모임에 그간 참석하지 못했던지라 모처럼 시간을 맞춰 내려갔다.

M은 며칠 동안 감기를 앓았다며 밭은기침을 했다. MIT와 유미가 바싹 붙어 앉아 속닥거렸고 버클리는 S와 이야기를 나누는 중이었다. 미도리가 그 곁에서 호기심 가득한 눈망울로 그들의 이야기에 이따금씩 참견을 했

다. B교수는 예의 그 무심한 표정으로 팔짱을 낀 채 모임이 시작되길 기다리는 눈치였다.

"시작 안 해요?"

언제부터인가 MIT는 티타임의 공식 사회자가 되어 있었다. S의 재촉을 받고서야 MIT가 우리를 향해 돌아앉았다. 그리고는 M을 향해 물었다.

"준비되셨죠?"

M은 콧등에 걸린 안경 너머로 우리를 천천히 둘러보았다. 넓은 이마 위의 주름이 깊은 골을 만들고 있었다. 그는 흘러내린 안경을 손가락으로 치켜올렸다. 그러고는 더없이 온화한 말투로 이야기를 시작했다.

"내 나이의 사람들은 가끔 희망한다오. 지금까지의 삶을 포기하고 리셋할 수 있다면 얼마나 좋을까, 하고 말이오. 리셋, 그 말의 뜻은 다들 알고 있지 않소?"

그는 잠깐 동안 말을 멈추고 모두를 바라보았다. 다들 그가 무슨 말을 하려는지 궁금한 눈치였다.

"기억할 수 없는 수많은 것들이 저장된 낡은 컴퓨터를 상상해보시오. 저장된 것이 너무 많아 용량이 얼마 남지 않았고 게다가 바이러스에 노출되어 형편없이 느려진,

쓰레기통으로 가기 직전의 컴퓨터 말이오. 리셋이란 그 컴퓨터를 초기화시키는 작업이라고 할 수 있지. 컴퓨터를 처음 살 때처럼 되돌린다고 보면 되오."

그는 손으로 입을 가린 채 몇 번인가 쿨룩거린 뒤 말을 이어갔다.

"나를 리셋시킬 수 있다면, 그런 상상을 하는 거요. 어떻소? 여러분들도 나처럼 그런 생각을 해본 적이 있소?"

그의 말에 몇몇이 고개를 끄덕였다.

"가끔 부끄러운 짓 한 게 떠올라 그때 그 시간을 되돌리고 싶던 적이 있긴 해요."

먼저 입을 연 것은 버클리였다.

"물론 우리가 인공 로봇이 아닌 이상, 리셋이란 그저 희망 사항일 뿐이오. 그런데 말이오. 리셋을 원하는 데에는 무슨 이유가 있지 않겠소? 가령 리셋된다면 지금보다 더 나은 삶을 살겠다, 그런 거 말이오."

리셋될 수만 있다면……. 다들 그의 이야기에 빨려 들어가고 있었다. 나 또한 잠깐 생각을 해보았다. 내 삶이 통째로 리셋된다면 무엇이 달라질 것인가. 내가 원하는 삶을 살고 있겠지. 그러면 내가 원하는 삶이 뭔가. 여러

가지 생각이 꼬리를 물었다.

"거기부터가 시작이오. 리셋되면 어떻게 살 것인가, 그걸 듣고 싶소."

"리셋해서 시간을 되돌린다면 어느 시점으로 가야 하죠?"

MIT의 말에 M은 주저 없이 대답했다.

"그 시점은 여러분 각자가 선택할 일이오. 청소년기든 자의식이 막 생기기 시작할 무렵이든 상관없소."

"시간을 되돌린다……."

버클리가 혼잣말처럼 중얼거리다가 슬며시 말을 꺼냈다.

"만일 그럴 수만 있다면, 난 어린 시절로 돌아갈래요. 생각해보니 부모님 품 안의 그때가 가장 좋았어요. 공부도 열심히 하고, 동생도 잘 보살피고. 지금처럼 유학한다며 부모님 등골 빼먹는 짓은 안 할래요. 평범하게 취직해서 돈 벌고…… 행복이 별건가요? 그렇게 하루하루 잘 살면 행복한 거죠."

"거참, 생각이 기특하군. '가화만사성'이라고, 모두들 들어본 말일 거야. 자식이 효도하면 어버이가 즐겁고 집

안이 화목하면 만사가 이루어진다는, 명심보감에서 나온 말이지. 그 말은 우리 집 가훈이었네. 예전에 우리 집 대청에는 그 다섯 글자가 표구되어 걸려 있었어. 생각해보면 참 당연한 말인데 그걸 굳이 가훈으로 써서 걸어놓고 본 이유가 뭘까? 그게 생각처럼 쉬운 게 아니거든."

버클리의 말을 거든 사람은 B교수였다.

"그럼 자네는 어떤가? 또래이니 비슷한 생각인가?"

B교수가 MIT를 향해 물었다.

"저는 그런 생각을 단 한 번도 한 적이 없어요. 제가 가장 싫어하는 게 후회하는 겁니다. 일단 결정하고 나면 그것이 성공이든 실패든 있는 그대로를 받아들이려고 해요. 실패조차도 내가 선택한 거니까요."

"그럼 리셋은요?"

MIT의 말에 미도리가 의외라는 듯 눈을 동그랗게 뜨며 물었다.

"그런 건 필요 없어요."

그가 턱을 조금 치켜들며 냉철하게 말했다.

"그 이유를 한번 설명해보시게."

B교수의 눈썹이 잠깐 꿈틀거렸다. 무표정한 얼굴에서

무언가 흥미로울 때 짓는 유일한 표정이었다.

"나는 지금까지의 내 삶을 존중해요. 실패조차도 내 삶의 일부라 여기는 거죠. 내가 가장 가치를 두는 건 바로 '나'예요. 내가 나를 인정하고 내가 나를 사랑하고 내가 나를 좀 더 나은 사람이 되도록 도와줄 작정이죠. 내가 행복해야만 좋은 에너지를 기대할 수 있어요. 거기서 얻는 에너지로 동력을 낸다면 굳이 리셋하지 않아도 저절로 사회에서 필요한 사람이 되지 않겠어요?"

"그것도 멋진 생각이오!"

M이 인자한 눈으로 그를 바라보며 감탄하듯 말했다.

"우리 아가씨들은 어떤가? 왜 아무 말이 없지?"

B교수가 미도리 쪽을 돌아보며 물었다. 그의 채근에 미도리가 곁에 앉은 유미를 팔로 툭 쳤다.

"유미, 먼저 말해봐. 어서요."

손가락으로 자기의 긴 머리를 만지고 있던 유미가 미도리의 채근에 미적거리며 말을 꺼냈다.

"나는요."

그 한마디를 던진 뒤 유미는 손가락으로 머리칼을 몇 가닥 잡아 배배 꼬았다.

"그만 좀 뜸 들여라. 기다리는 사람 목 늘어나요."

그녀의 이모인 S가 보다 못해 한마디했다. 그녀가 그런 이모를 보며 배시시 웃음을 지었다. 그러고는 짧은 반바지에 드러난 하얀 다리를 척 꼬더니 마지못한 듯 대꾸했다.

"리셋하고 싶지 않아요."

"이유가 있나?"

다시 B교수였다. 그의 시선이 곁에 앉은 유미의 맨다리를 슬쩍 스쳤다. 그의 시선을 느꼈는지 유미는 다리를 가지런히 모았다. 그러고는 눈을 내리깔고 혼잣말하듯 중얼거렸다.

"돌아가면 뭐해요."

그녀는 잠깐 생각하더니 몇 마디를 더 덧붙였다.

"너무 힘들게 여기까지 왔는데 다시 돌아간다고 더 잘할 것 같지 않아요."

S가 답답하다는 듯 툴툴거렸다.

"재는 저게 문제예요. 생긴 건 안 그런데 야물지 않아요."

S의 타박에도 유미는 그저 픕픕 웃었다. 그때 MIT가

적극적으로 유미의 편을 들며 나섰다.

"유미 씨가 어때서요? 서울에서 상위권 학교 나올 만큼 머리 좋죠, 얼굴 예쁘죠, 몸매 되죠. 더 이상 뭘 바래요? 유미 씨는 리셋되지 말아야 할 사람이야. 리셋은 낭비지."

감정을 숨기지 않는 그의 모습을 보고 놀란 것은 S였다. 그녀는 잠깐 의아한 얼굴로 두 사람을 번갈아 쳐다보다가 이내 싱글거렸다.

"하여튼 재는 복이 따라다니는 애야. 다들 예뻐만 한다니까."

S의 말에 버클리는 쓴웃음을 지으며 앞에 놓인 차를 한 모금 마셨다.

"이제 언니 차례예요."

유미가 미도리를 쳐다보며 말했다. 미도리는 동그란 눈을 반달처럼 뜨며 웃었다. 어딘가 민망할 때 짓는 웃음이었다. 잠시 머뭇거리던 그녀가 입을 열었다.

"나는 빚이 많아요."

그녀의 고백은 뜬금없었다. 모두 의아한 표정으로 그녀를 빤히 바라보았다.

"그동안 너무 생각 없이 살았어요. 그래서 리셋이 가능하다면 어릴 때로 돌아가 계획하면서 사는 사람이 되고 싶어요."

"내가 보기에는 잘 살아온 것 같은데?"

S가 고개를 갸웃거렸다.

"이제야 겨우 깨닫기 시작했어요. 어떻게 살아야 하는지요."

"그게 뭐죠?"

버클리가 고개를 갸웃거리며 물었다.

"엄청 많지만 굳이 예를 들자면……"

미도리는 얼굴을 붉혔고 약간 말을 더듬거렸다.

"내가 지구를 많이 오염시켰어요. 플라스틱 스푼이나 포크, 물병까지 일회용품들을 엄청 썼거든요. 이제 와서야 깨달았어요. 내가 무슨 짓을 한 건지. 요즘 바다 오염이 심각하대요. 참치는 수은에 범벅되었고 청어나 오징어는 미세 플라스틱에 오염이 되었대요. 바다뿐 아니라 지구 곳곳이 오염되어 망가지고 있다니 죄책감을 느껴요. 분명히 나도 거기에 일조를 했거든요. 만일 리셋이 가능하다면 어린 날로 돌아가 생각 좀 하면서 살고 싶어요."

그녀가 무안한 듯 손등으로 눈물 닦는 시늉을 하며 장난스럽게 웃었다.

"맞아, 나도 그걸 반성하고 있긴 해."

S가 동의한다는 듯 맞장구쳤다.

"나도 거기에 대해 자유롭지 못해요. 요즘 쓰레기를 줄이려고 노력하긴 하는데 잘 지켜지지 않아요."

버클리도 그렇게 말하며 고개를 끄덕였다.

"한 말씀 해보시죠?"

S를 보며 그렇게 말한 사람은 MIT였다.

"여러분들이 어떻게 생각할지 모르겠는데, 다들 듣고 웃지 마요?"

S가 다짐을 받으려는 듯 우리를 향해 장난스럽게 눈을 흘겼다. 우리는 모두 고개를 끄덕였다. 그녀는 식탁 위에 올린 두 손을 맞잡았다. 그리고 그곳에 모인 사람들에게 고루 시선을 주며 이야기를 시작했다.

"리셋이 될 수만 있다면 난 결혼하기 전의 시간으로 돌아가 현모양처 수업을 받을래요."

뜬금없는 그녀의 말에 모두 약속을 어기고 웃음을 터뜨렸다. 그때 M이 물었다.

"현모양처의 뜻이 뭐요?"

"인자하고 어진 어머니이자 착하고 좋은 아내를 뜻해요."

B교수가 M에게 설명을 해주었다.

"아니, 뭐가 문제죠? 이만하면 현모양처로 부족한 게 없어요."

MIT가 그렇게 말했지만 그녀는 고개를 저었다.

"결혼하면 모든 게 저절로 다 되는 줄 알았는데 그게 아니었어요. 아이를 키우는 것도 남편과의 관계에서도 시행착오를 많이 겪었어요. 후회가 됐죠. 결혼에 대해 구체적으로 공부 좀 미리 할 걸 그랬어요. 내가 법을 만들 수 있는 위치라면 결혼면허 제도를 만들겠어요."

"결혼면허요?"

미도리가 뜻밖이라는 듯 물었다.

"네, 결혼면허."

S는 차를 한 모금 마신 뒤 차분히 이야기를 이어갔다.

"결혼을 잘못하면 삼대가 망한다는 말이 있어요. 부모님과 결혼 당사자들, 그들의 자식까지의 삼대를 말하는 거죠. 본인들이야 자기가 선택한 거니 할 수 없다고 쳐도 부모님이나 아이들은 무슨 죄인가요? 아이들이야말로 우리의 미래인데 늘 다투는 부모 밑에서 자라날 아이들을 생각해봐요. 그 상처가 얼마나 크겠어요. 운전하는 데도 면허가 필요하고 미용사도 자격증이 있어야 남의 머리를 만지는데 왜 결혼에는 면허가 없는 거죠? 이거야말로 꼭 필요한 거 아닌가요?"

그녀의 말이 나를 부끄럽게 했다. 나 역시도 결혼에 실패해서 부모님 속을 꽤 썩인 적이 있었기 때문이다. 결혼한다는 건 무슨 의미인지, 결혼 생활이란 무엇인지, 깊은 생각 없이 한 결혼이었다. 마치 초등학교에 입학해서 시키는 대로 하면 언젠가 꽃다발을 받으며 무사히 졸업할 수 있는 것처럼 결혼도 그런 것인 줄 알았다.

"결혼면허도 운전면허처럼 테스트를 거쳐야 하나요?"

다들 어이가 없다는 표정을 지었지만 MIT만이 흥미로운 듯 그렇게 물었다. 그녀가 미간을 약간 찌푸렸다 폈다.

"음, 그보다는 수업을 듣게 하는 거죠. 운전하다가 벌점 안 받으려고 안전 운전에 관한 교육을 받잖아요. 그것처럼 결혼 수업을 듣는 거예요. 전문 강사를 초빙하면 어떨까 싶어요. 서로 다른 상대의 성에 대해서도 알아야 하겠죠. 부부간의 갈등을 푸는 법도 배우고요. 아이 키우는 것도 그래요. 사랑만 준다고 잘 크나요? 우리 엘몬의 경우도 그러지 않잖아요. 늦게 낳은 아이라 끔찍이 아끼고 사랑을 주었지만 그게 통하지 않았어요. 그것 말고도 필요한 게 있다는 걸 몰랐으니까요. 엘몬도 상담을 받기 시작하니 요즘 들어 부쩍 좋아졌어요."

그녀의 말에 몇 사람이 고개를 끄덕였다. 자신감이 생긴 듯 그녀의 목소리 톤이 명랑하게 올라갔다.

"또 필요한 게 뭐가 있을까요? 아, 전문가에게 요리나 집안일 하는 법도 배워야겠죠? 요리의 기초를 배우거나 청소하는 방법을 배운다면 결혼 생활에 대한 부담이 줄어들 것 같아요. 모든 과정은 남자와 여자가 함께 해야만 해요. 그렇게 모든 과정을 이수하고 나면 면허를 주어 결혼을 허가하는 겁니다. 어때요, 내 의견이?"

유미는 말도 안 되는 소리라며 고개를 흔들었지만 미도리는 찬성하는 듯했다. 결론 없는 이야기로 어수선한 분위기가 계속되었다.

"교수님은 어떻게 생각하오? 리셋에 대해서 말이오."

의자 깊숙이 몸을 묻은 채 이야기를 듣고 있던 M이 흐트러진 분위기를 다시 모았다.

"글쎄요, 뭐라고 해야 할까. 그런 기적이 일어날 수 있다면 난 청년 시절로 리셋되면 좋겠는데."

"그때로 돌아가면 무엇을 하시게요? 더 열심히 공부하시겠죠?"

S가 B교수의 빈 찻잔에 뜨거운 물을 따르며 물었다.

"그건 모르겠지만 적어도 한 가지는 정확히 알아요."

그가 밋밋한 얼굴에 표정 없이 말을 꺼냈다.

"무엇보다 연애를 하고 싶소. 자유롭게 말이지. 내 청춘의 시간은 회개로 시작하고 회개로 끝이 났소. '시험에 들지 말게 하옵시며' 이 말을 늘 주문처럼 외우고 다녔어. 친구들이 미팅에 가서 예쁜 여자를 만났다는 자랑에 나도 따라나서고 싶은 충동을 한두 번 받은 게 아니었소. 하지만 그럴 때마다 주기도문을 몰래 외웠지. '시험에 들지 말게 하옵시며, 다만 악에서 구하옵소서.' 속으로는 내 친구 놈들을 무척이나 부러워하면서 말이오. 만일 리셋될 수만 있다면 한 번쯤은 젊음을 제대로 만끽하며 살고 싶소."

B교수는 평소처럼 웃음기 없는 얼굴이었지만 모두들

그가 농담을 하고 있는 거라 생각했다.

"에이, 교수님은 안 돼! 리셋되어도 다시 이렇게 점잖으실걸?"

S가 B교수의 찻잔에 새 티백을 넣어주며 말했다. 여기저기서 쿡쿡 웃음소리가 들렸다. 하지만 내겐 그 말이 왠지 그의 고해성사처럼 들렸다.

"'시험에 들지 말게 하옵시며.' 오늘 중 최고의 말이네요."

MIT도 유쾌한 듯 싱글거리며 내게 말했다.

"주리 씨도 오랜만에 참석했는데 한마디 하시죠?"

그들의 이야기를 듣는 동안 줄곧 머릿속을 맴돌던 생각이 있었다. 그게 무엇인지 정확하게 알 순 없었지만 일단 말을 시작했다. 그 말의 시작이 어떤 결론으로 끝날지 나도 알 수 없었다.

"여러분의 생각을 들으며 나도 스스로에게 계속 물었어요. 만일 리셋이라는 기적이 일어날 수 있다면 어느 시점으로 돌아가겠는가. 아니, 내게는 과거의 어느 시점이 아닌 이 순간인 것 같아요. 지금이 바로 리셋할 순간인 거죠. 더 이상 머뭇거리지 않고."

내 의지와 상관없이 이런저런 말이 흘러나왔다. 나도 모르게 눈가가 뜨거워졌다. 늘 머뭇거림이 문제였다. 아주 늦기 전에, 상황이 더 나빠지기 전에.

김준후, 그가 또 거기에 있었다. 목소리가 나도 모르게 떨리고 있었다. 나는 수습할 방법을 찾지 못해 어색한 미소를 지었다.

"지금 이 시점이라 했소?"

M이 의자 깊숙이 묻었던 몸을 빼내며 물었다.

"바로 그거요. 내가 찾던 대답이오."

그가 연민이 가득 담긴 눈빛으로 나를 보았다.

"과거는 절대로 되돌아오지 않소. 그리고 미래는 너무도 흐릿하오. 내일 일어날 일도 장담할 수 없는데 그보다 더한 미래의 일은 말할 것도 없지. 우리에겐 단지 현재, 지금 이 순간만 있소. 손에 쥔 당장의 시간만이 우리의 것이오."

그때 조르바가 생각났다. 그는 일하든 사랑하든 눈앞의 일에 미친 듯이 집중하는 열정적인 인간이었다. 마음이 이끄는 대로 머뭇거리지 않고 직진하는 조르바. 조르바에 대한 생각이 또다시 김준후, 그를 불러내고 있었다.

"서로 다른 흥미로운 생각들을 나눌 수 있어서 좋았소. 나는 여러분이 리셋의 시간을 지금으로 정하길 바라오. 그건 가능한 일이니 말이오. 나도 이참에 각오를 새롭게 하려고 하오."

그가 콧등에 걸린 안경을 치켜올렸다. 돋보기 때문인지 안경 속의 두 눈이 크게 확대되어 보였다.

"앞으로 무슨 글을 쓰실 건가요?"

버클리가 관심을 보였다.

"중동 문제에 관한 글을 계속 쓰실 거요?"

B교수도 물었다.

"그뿐만이 아니오. 나는 하고 싶은 말이 정말 많소. 젊은 시절에 자유를 찾아 떠돌다가 사람 사는 모습에 기웃거리며 한 가지 깨달은 게 있소. 세상에는 불공평한 일들이 너무 많다는 거요. 부유한 집안의 부모 밑에서 태어난 아기도 있지만 빈민굴의 마약 중독자에게서 태어나는 아기도 있소. 분명 평등하지 않은 일이지. 우리가 당연한 듯 누리는 이 평화가 아프리카나 중동 지역의 분쟁국 사람들에겐 간절한 소망이기도 하오. 이 밖에도 불평등은 우리 주변에 널려 있소. 여러분들은 두 개의 눈과 귀, 하나의 입과 코를 갖고 태어났소. 그리고 언제든 푸른 하늘을 보며 새소리도 공짜로 듣지. 하지만 어떤 사람들에게는 기적 같은 일이라오. 가령 태어났을 때부터 앞이 보이지 않는다고 생각해보오. 그들은 하늘의 태양을 어떻게 상상할까? 뜬눈으로도 감히 바라볼 수 없는 그 밝은 빛을 어떻게 상상할 수 있을까? 빨강도 모르고 노랑도 모르고, 그러면 무지개는 어떻게 그려낼까? 궁금하지 않소? 또한 귀가 들리지 않으면 사랑하는 사람의 목소리가 어떤지, 품속의 아기가 옹알거리는 소리가 얼마나 사랑스러운지 알 수 없지 않겠소? 그뿐만이 아니오. 그래, 내 좋은 예를 하나 들지. 자, 봐요. 유미 말이오."

그가 유미를 가리켰다. 모두들 그의 손가락을 따라 유미를 보았다. 유미가 어리둥절한 표정으로 어깨를 으쓱였다.

"저 애는 예쁘게 생겼소. 얼굴은 갸름하고 사랑스러운 눈, 코, 입을 갖고 있지. 키도 적당하고 몸매도 빠지지 않소. 게다가 머리까지 좋아 공부도 제법 했소. 젊은 사내라면 유미한테 반하지 않을 놈이 몇이나 있겠소?"

그가 빙긋이 웃으며 그곳에 앉은 사람들을 천천히 둘

러보았다. 모두 조금은 심각한 표정이었다. 그는 갑자기 웃음을 거두며 차갑게 내뱉듯 물었다.

"그런데 유미가 갖고 있는 장점들이 어디서부터 온 거지? 유미가 노력해서 얻은 건가?"

"유미 씨는 좋은 유전자를 받은 거죠."

MIT가 곧장 대꾸했다.

"좋아, 맞는 대답이오. 유미는 훌륭한 유전자를 갖고 태어났소. 그럼 그 훌륭한 유전자를 갖기 위해 유미가 노력한 것은 무엇이오?"

그가 되묻자 MIT는 할 말을 찾지 못해 헛기침을 했다.

"그럴 때 사람들이 흔히 쓰는 말이 있지. 운이 좋다고 말이오. 그렇다면 운을 좋게 타고난 건 유미가 노력한 건가?"

그가 재차 물었다. 아무도 대답하지 않자 다시 부드러운 웃음을 지었다.

"여러분들이 방금 대답을 주었소. 유미가 노력한 게 없으므로 대답할 수 없었던 거요. 그러면 자, 다음 단계."

그때 쿨룩거리며 기침이 터져 나오자 M은 차를 한 모금 천천히 마셨다. 괴로운 표정을 지었지만 말을 멈추지 않았다.

"그럼 유미는 운 좋게 예쁘고 머리 좋은 여자로 태어난 걸 어찌 생각해야 하오? 자, 여기서."

잠시 생각할 여유를 준 뒤 그가 말을 이었다.

"유미에겐 의무가 주어진 거요. 자기와 다른, 남들이 말하는 불운하게 태어난 사람들을 향해 말이오. 이 방정식은 비단 외모뿐 아니라 좋은 가문에서, 부잣집에서 태어나서 또는 재능을 물려받아서, 이런 것들에 모두 적용되어야만 하오. 그것을 연민이라 부르오. 연민. 맞아, 연민이지. 사람을 향한 연민만이 우리가 함께 살 수 있는 유일한 희망이라오. 나는 이 이야기를 나누고 싶소. 그래서 누군가 내 글을 읽고 그들이 또 다른 사람과 연민을 나눈다면, 우리가 상상하는 것 이상의 결과가 나올 거요. 하나가 둘이 되고 둘은 넷, 넷은 열여섯이 될 수 있소. 열여섯 명이 또 열여섯 명에게 전달한다면 이백오십육 명인가? 그럼 그다음은 얼마요?"

그가 MIT를 돌아보며 물었다.

"육만오천오백삼십육 명?"

MIT가 휴대폰의 계산기를 들여다보며 말했다.

"그렇소. 잘만 하면 그 수는 기하급수적으로 불어날 수 있소. 마치 산불의 시작이 작은 불씨 하나에서 비롯되는 것처럼 말이오. 여러분 모두 그 기적을 만드는 사람들이 되길 바라오. 나와 함께 말이오."

그의 말은 깊은 울림을 주었다. 우리는 먹먹해져 말을 잃은 듯 앉아 있다가 각자의 방으로 흩어졌다.

나는 방으로 돌아와 그날의 대화를 꼼꼼히 기록해두었다. 뾰족지붕의 집에 처음 왔을 때부터 쓰기 시작한 기록이 점차 늘어나고 있었다. 머릿속을 꽉 채운 수많은 생각들에 잠이 올 것 같지 않았다. 두툼한 스웨터를 걸치고 뒷마당으로 나갔다.

숲의 그림자가 시커멓게 어룽거렸다. 바람이 세차게 불 때마다 숲속에서 쏴아, 파도 소리가 났다. 앙상한 나뭇가지들이 바람에 쓸리며 몸을 비비는 소리였다. 그럴 때마다 얼마 남지 않은 나뭇잎들이 바람에 흩날렸다.

뒷마당 한가운데 서성이며 그것들을 바라보고 있는데 '늦기 전에, 아주 더 늦기 전에', 그 말이 자꾸만 맴돌았다. 그러나 나는 어찌할 바를 몰랐다. 마치 짙은 안개나 폭풍우 속에서 방향 감각을 잃고 같은 지점을 맴도는 것처럼 도무지 출구가 보이지 않았다. 어떻게든 나를 옭아맨 괴로움에서 벗어나고자 애를 썼지만 결국 제자리였다.

'환상방황'에서 벗어나지 못하면 그 끝은 비극일 뿐이었다. 나는 내가 두려웠다. 늦기 전에, 더 늦기 전에 어떻게든 방황을 끝내야 했다. 그 생각으로 밤이 떠나고 있었다.

16
L의 노트 8

비상, 그것은 이상의 꿈이었다. 그는 일생 동안 날아오를 순간만을 기다렸다. 날개를 활짝 펴고 바람을 가르며 창공을 차고 올라, 보다 더 높은 차원의 세계로 나아가고 싶어 하였다. 하지만 그날들의 폭풍은 몹시 거세었고 그의 날개는 찢겨져 너덜거렸다. 그래도 그는 날갯짓을 결코 멈추지 않았다. 상처 입은 날개로 끝없이 비행을 연습하였다. 그가 병원에서 명재경각의 순간에 있던 날을 기억한다.

운명할 시간이 얼마 남지 않았다며 내일 다시 오라는 의사의 말에 나는 그가 머물던 간다神田구의 하숙을 찾아갔다. 그곳은 병원으로부터 걸어서 삼십 분 거리에 있었다.

하숙 주인의 안내로 그의 방에 들어가 불을 켰을 때 피로에 지친 내 눈을 붙잡은 것은 방에 흐트러진 수많은 원고들이었다. 나무 소반 위에는 쓰다 만 원고가 주인을 기다리고 있었다. 원고에서 익숙한 그의 필적을 보자 나도 모르게 눈물이 쏟아졌다. 그가 위중하다는 전보에도, 다급한 마음으로 현해탄을 건널 때에도, 죽어가는 그의 앞에서도 나오지 않던 눈물이었다. 그의 필사적인 몸부림이 떠올라 나는 다다미방 바닥에 주저앉아 통곡하였다. 그 원고 뭉치들이 내게 고통을 주게 될 줄은 꿈에도 모른 채 깊은 슬픔을 안고 오래도록 울었다.

이상의 장례를 치른 후에 나는 얼마간 술집에서 일을 하였다. 동경 체류 경비를 그곳에서 빌렸기에 빚이 그때껏 남아 있었다. 몸과 마음이 피폐해졌지만 자존심 때문에 겉으로는 내색하지 않았다. 빚을 다 갚자마자 나는 미련 없이 그 일을 그만두고 사리원으로 떠났다. 이화여전의 한 해 선배가 내 사정을 딱하게 여겨 사리원의 소학교 선생으로 추천해 준 것이다.

그곳에서 모처럼 휴식을 맞았다. 아이들은 순했고 산천은 푸근하여 마음의 고향을 찾은 듯 점차 안정을 느꼈다. 그 무렵, 나는 틈틈이 소설을 쓰기 시작하였다. 소설 쓰기는 무섭도록 집중을 요구하였고 시간 또한 제물로 원하였다. 덕분에 슬픔이나 외로움이 파고들 틈이 생기지 않았다. 그 소설 쓰기가 나를 치유하고 있었다. 그렇게 두어 편의 소설과 산문들이 완성되었을 무렵 나는 다시 경성으로 돌아왔다. 그동안 쓴 소설을 작품집으로 엮고 경성에서의 새로운 삶을 시작하기 위해서였다.

하지만 경성에서 들은 소식은 나를 다시 나락으로 떨어뜨렸다.

내가 경성에 없는 동안 이상의 삶과 죽음은 사람들에 의해 제멋대로 각색되어 소문으로 돌았다. 그의 하숙에서 보았던 원고 뭉치들이 유작으로 소개되었고, 사람들은 소설 〈종생기〉에서 다홍 댕기가 등에서 나부끼는 소녀가 나라고 믿었다. 그 소녀는 소설의 주인공인 '나'를 사랑하면서도 돈 많은 남자와 육체적인 관계를 맺으며 둘 사이에서 줄타기를 하는 맹랑한 여자였다. 소설 〈동해〉와 〈실화〉에도 비슷한 내용이 들어 있었다. 거기에 더해 소설 〈날개〉의 몸 파는 아내가 L이냐, 금홍이냐를 놓고 사람들이 토론을 벌인다는 말도 들렸다.

정말 어이가 없었다. 나는 그가 동경으로 떠난 후 그에게 가기 위한 경비를 마련하러 술집에 나갔으며 또한 빚을 갚기 위해 잠깐인가 다시 그곳에서 일한 적이 있다. 하지만 돈이 필요해서 일했을 뿐 몸을 팔거나 남편을 두고 다른 남자와 정사를 벌인 적은 없다. 더구나 이상이 소설 〈날개〉를 쓰던 무렵은 우리가 개울가의 집에서 신혼을 보내던 때였고 그 소설은 그가 일본으로 떠나기 전 잡지 〈조광〉 9월호에 발표되었다. 만일 그 소설 속 주인공이 나를 지칭한 것이었으면 과연 내가 그 소설이 발표되도록 용납하였겠는가.

이상의 문학은 그의 천재성을 염두에 두어야만 이해되는 경우가 많다. 그의 수작인 시 〈오감도〉는 사람들의 무지에 의해 한동안 쓰레기 취급을 받았다. 이상의 소설 속에 자전적인 부분이 많다고 그의 소설 전체가 자전적이라는 건 그의 천재성을 또 한 번 부정하는 행위이다.

이상은 〈종생기〉를 평생의 걸작으로 여기듯 여러 사람에게 말하였지만 그것은 사실이 아니다. 〈종생기〉는 그가 쓰고 싶어 하던 소설과는 거리가 멀었다. 병세가 심해졌고 동경에 대한 환상이 사라진 이상이 내뱉은 시니컬한 농담이며 어리광이었다. 이상의 동경행은 〈종생기〉를 쓰기 위해서가 아니었다. 그는 좀 더 넓은 세계의 문화를 접하고 공부하여 실험적인 시나 소설을 뛰어넘는 정통적인 글을 쓰고자 하였다.

사람들은 인간 이상의 상상과 비약, 자학 그리고 해학의 높은 차원을 이해하지 못하고, 그가 실험적으로 쓴 소설을 통속적인 실화 소설로 해석하며 그 주인공을 찾느라 수선을 떨었다.

소설을 쓰며 소박하게 살고자 했던 내 바람은 산산조각이 났다. 나를 오해하며 수군거리는 사람들에 의해 내 알량한 자존심은 휴지처럼 구겨졌다. 사람들은 그의 농담에 놀아났고 그 피해는 고스란히 내게 돌아왔다.

아무도 나를 믿어주지 않았다. 그 시간이 길어지자 그

가 진정 나를 믿지 못하여 그런 소설을 썼을지도 모른다는 의심을 하게 되었다. 그때 나는 어렸고 천재 이상과 그의 해학적인 작품들을 제대로 다 이해할 수 있는 수준이 아니었다. 더 이상 견딜 힘이 없었다. 내게 그런 고통을 남기고 훌쩍 떠난 이상을 용서할 수 없었다. 나는 이상을 완전히 잊는 것으로 그에게 복수하려 하였다. 그리고 내게 온갖 모욕을 준 사람들에게 보란 듯이 천재성이 단연 돋보이는 화가 K를 만나 재혼하였다.

자식이 셋이나 있는 남자와의 재혼이 평탄하리라는 기대는 처음부터 하지 않았다. K의 어머니는 자식을 낳지 못하는 나를 내치고 새로운 여자를 들여 아들 생산을 시키고자 하였다. 하지만 나는 K를 믿었다. 자신을 믿어달라는 그의 말 한마디에 의지해서 그 인고의 시간을 견디며 버텼다.

17

너에게로 가는 길

——————— 뾰족지붕 아래의 하숙생들이 모두 잠든 시간에 나는 부엌으로 갔다. 마음이 종일 심란하고 머리가 아파 침대에 꼼짝 않고 누워 있던 탓에 식사 시간을 놓친 것이다.

정해진 몇 시간 동안 자유롭게 식사하도록 간단한 뷔페가 차려 있던 식탁은 이미 말끔하게 치워진 상태였다. 나는 우유 한 잔을 들고서 부엌 옆의 간이 테이블로 향했다. 그때 M이 다가왔다. 그는 책을 읽고 있었던 듯 손에는 두툼한 책 한 권이 들려 있었다.

"주리, 식사가 좀 늦소."

그가 내 앞에 자리를 잡고 앉으며 말했다.

"요즘 며칠째 집에만 있는 것 같던데 어디 아픈 건 아니오?"

나는 고개를 가로저으며 괜찮다고 했다.

"아까 첫눈 내리는 거 보았소?"

그의 말에 창밖을 내다보니 눈은 이미 그쳤지만 흰 눈이 소복하게 마당을 덮고 있었다.

"방의 블라인드를 열지 않아 눈 내리는 것도 몰랐어요."

나는 창밖으로 시선을 둔 채 말했다.

"지난번, 티타임 때 말이오."

그가 친근한 목소리로 물었다.

"그래서…… 답은 찾았소?"

나는 무슨 말인지 몰라 멍하니 그를 보았다.

"리셋 말이요. 주리가 말했잖소. 리셋이 가능한 시간은 바로 지금이라고!"

그가 얼굴의 주름을 펴며 소리 없이 웃었다.

'리셋?' 얼떨떨한 내 표정을 보고 그는 그저 빙긋이 웃었다. 그러고는 자리에서 일어나 넓적한 등을 보이며 거실로 사라졌다.

리셋, 그 말에 머릿속이 어수선해졌고 잠도 올 것 같지 않았다. 나는 부엌 옆의 문을 통해 뒷마당으로 나갔다.

하늘은 어느 틈에 개어 있었고 눈에 덮인 뒷마당은 환한 달빛을 받아 온통 은색으로 반짝였다. 뽕나무 위의 새 둥지에도 눈이 소복했다. 그때 어디선가 물소리가 들렸다. 시냇물이 맑게 흐르고 있었다.

나는 그 소리에 이끌려 작은 시내가 있는 곳을 향해 걸었다. 하얀 눈밭에 내 발자국들이 자국을 남기며 나를 따라오고 있었다. 나는 시내 앞에서 걸음을 멈추었다. 시내 건너편의 숲이 달빛에 훤히 드러났다. 그렇게 서서 숲을 한참 바라보는데 알 수 없는 충동이 일었다. 언제까지고 망설일 수만은 없었다. 한 번쯤은 단호해도 괜찮을 거라는 생각이 스쳤다. 나는 시내를 가로질러 놓인 징검다리를 향해 걸음을 옮겼다. 다리만 건넜다가 되돌아올 생각이었다.

하지만 숲에 들어서니 더 이상의 두려움은 생기지 않았다. 나는 달빛에 의지해 조금 더 깊숙한 곳으로 들어가 보기로 했다. 길은 눈에 덮여 도무지 가늠이 되지 않았다.

나무 사이를 헤치며 비스듬한 경사를 따라 오르기 시작했다. 바람이 세차게 불 때마다 나뭇가지에 쌓인 눈이 뽀얗게 흩날렸다. 숨이 가빠왔지만 마치 앞만 보고 걷는 것만이 목표인 것처럼 길을 만들며 나아갔다. 입에서는 쉬지 않고 하얀 김이 나왔다. 오르막과 내리막 길이 몇 번쯤 반복되더니 드디어 숲의 끝이 보였다.

생각보다 숲은 깊지 않았다. 걷기 시작한 지 십 분도 채 되지 않아 더 이상 나아갈 곳이 보이지 않았다. 숲의 끝은 이름 모를 공원에 맞닿아 있었다. 나는 그곳에 선 채 깊은 숨을 몇 번인가 내쉬었다. 숲은 숲일 뿐 두려워할 것이 아무것도 없었다.

숲의 끝에서 잠시 숨을 가라앉히고 있는데 문득 "믿음이 없는 사랑이란 허망할 뿐이다", 그 말이 스치듯 떠올랐다. 그것은 L이 뱉은 말이었다. 이상을 믿지 못했던 L의 자책과 후회가 담긴 그 말이 어쩐지 내게 한 말처럼 들렸다. 그 말은 흩어지지 않고 머릿속을 계속 맴돌았다. 그러다 한순간, 그가 나를 버린 것이 아니라 내가 그를 믿지 못했다는 것을 깨달았다. 어떤 상황에서든 나는 그를, 그와의 사랑을 믿어야만 했다. 그것이 L의 말처럼 서로가 사랑했던 시간들에 대한 예의였던 것이다.

가슴이 싸르륵 아파왔다. 그는 혼자 무엇을 하고 있을까. 그도 나처럼 아프겠지. 더 늦기 전에, 리셋. 마음이 타들어갔다. 눈물이 나려고 했다. 지금이야! 마음이 내게 소리쳤다. 지금이야. 나는 내가 지나온 길을 되돌아보았다. 눈 위로 내 발자국들이 선명했다. 그 위로 달빛이 하얗게 부서졌다.

감정이 복받쳐 울음이 터지려는 것을 겨우 참으며 올라온 길을 다시 내려가기 시작했다. 내 발자국들은 길이 되어 나를 이끌었다. 나도 모르게 걸음이 점점 빨라졌다. 몇 번인가 미끄러지며 길을 내려가니 마침내 뾰족지붕의 끝이 보였다.

나는 더 이상 다른 생각을 하지 않기로 했다. 더 늦기 전에, 내 마음을 따라가보기로 했다. 그 길로 방으로 들어가 가방과 열쇠를 챙겨서 나왔다. 그리고 차의 시동을 켰다.

차가 달리는 중에도 리셋, 그 말이 머릿속을 맴돌았다.

눈 때문에 길의 상태가 그리 좋지 않았지만 이상하게도 겁이 나지 않았다. 스스로 내 모습이 낯설게 느껴졌다. 하지만 아무래도 좋았다. 리셋, 어떻게든 그에게 가야만 했다. 거기에서 또 다른 길이 보일 것이다, 그 생각뿐이었다.

새벽 한 시가 지나고 있었다. 그의 집 쪽으로 향했다. 정확한 집 주소는 몰랐지만 위성사진을 통해 확인해둔 브루클린 공원 앞의 아파트 건물을 확실히 기억하고 있었다.

동네로 들어서자 어딘가 으슥했다. 숲이 우거진데다 시간이 늦어 지나다니는 차가 없었다. 차의 속도를 줄여 서행했다.

공원 앞쪽으로 위성사진에서 본 벽돌색 아파트가 보였다. 그가 그 부근에 살고 있을 거라는 생각을 하자 가슴이 아릿해졌다. 나는 속도를 더 늦추며 그가 살고 있을 건물을 가늠해보았다. 그렇게 첫 번째 아파트를 지나쳐 그 옆의 아파트로 이동할 때였다. 눈앞에 한 사람의 모습이 어룽거렸다. 누군가 내 차를 향해 손을 흔들고 있었다. 남자였다.

'히치하이커인가?' 그런 생각이 들자 두려움이 엄습했다. 깊은 밤, 한적한 길에 서 있는 남자를 태울 수는 없었다. 나는 가속 페달을 누르며 가능한 한 빨리 그 남자를 지나치려고 했다. 그러나 그 남자의 모습이 드러난 순간, 나는 급브레이크를 밟았다.

환한 헤드라이트 불빛에 김준후, 그의 모습이 환영처럼 나타난 것이다. 머릿속이 하얘졌다. 처음 보는 검정색 뿔테 안경을 쓰고 있었지만 분명히 김준후, 그였다. 그가 내 차를 향해 손짓을 하고 있었다. 너무도 비현실적인 상황에 온몸의 신경이 쭈뼛 곤두섰다. 코앞에 그가 서 있었다. 심장이 터질 듯 두근거렸다.

차에서 내려 그를 향해 발걸음을 옮겼다. 하지만 그는 나를 알아보지 못한 것 같았다. 나는 몇 걸음 더 걷다가 멈추어 섰다. 그가 나를 향해 도와달라고 간청했다. 그의 입에서 나온 말은 영어였다. 나는 도무지 믿을 수 없었다. 어떻게 나를 알아보지 못하는 걸까?

마침내 그의 곁에 섰을 때 그가 당황하며 뒷걸음을 쳤다. 나는 물러서려는 그의 팔을 얼른 붙잡았다. 얇은 스웨터 차림의 그가 몸을 떨고 있었다. 내 얼굴을 주시하던 그가 나직이 물었다.

“주리?”

그는 확신이 없는 표정이었다.

나는 대답하려 했지만 목이 메어 소리가 나오지 않았다.

나를 찬찬히 살피던 그의 표정에 놀라움이 가득 들어찼다.

“주리, 맞나? 대체 무슨 일이지? 여긴 어떻게……”

말을 하다 말고 그가 고개를 들어 하늘을 올려다보았다. 그 상황이 믿기지 않는 건 나도 마찬가지였다. 나는 떨고 있는 그의 팔을 잡아끌고 차로 돌아왔다.

시동을 켜자 히터에서 따듯한 바람이 나와 차 안의 공기를 빠르게 덥혀갔다. 그는 쏟아지는 따듯한 바람에 두 손을 마주 비비고는 그 손으로 얼굴을 감싼 채 한동안 말이 없었다. 나는 차를 몰고 큰길로 나왔다. 한참을 달리다 보니 스물네 시간 영업하는 카페가 보였다.

따듯한 수프 한 그릇에 그의 굳은 얼굴이 펴졌다. 영양 상태가 썩 좋지 않은 듯 초췌한 얼굴에 곱슬머리는 윤기 없이 푸석했다. 알이 두꺼운 뿔테 안경 속에서 그의 눈동자가 불안하게 흔들렸다.

"왜 그 시간에 거기……"

내 말이 채 끝나기도 전에 그가 쓴웃음을 던지며 혼잣말을 했다.

"나도 믿기지 않아, 도무지!"

식어가는 커피 잔을 들여다보며 말을 잊은 듯 앉아 있는 그에게서 생기라고는 전혀 찾아볼 수 없었다. 빈껍데기 같은 육체를 겨우 지탱하고 있는 것처럼 보였다.

얼마간 멀뚱히 앉아 있던 그가 고개를 들었다. 그리고 나지막이 입을 열었다.

"열쇠를 놓고 나왔어요. 쓰레기를 버리려고 아파트 뒷문을 열고 나왔을 때 열쇠 생각이 나는 거야. 내 등 뒤에서 이미 쿵 소리가 났는데, 늦었지. 문이 닫혀버린 거야. 닫히면 자동으로 잠기는 문이거든."

"그럼 누구라도 소리쳐 부르지 그랬어요?"

내 말에 그는 고개를 저었다.

"건물 안으로 들어가야 누구라도 깨울 텐데 건물 밖에선 아무리 소리쳐도 들리지 않아. 더구나 모두 잠든 밤인데. 어찌할 방법이 없었어요. 그래서 길에 서 있었지. 누군가 지나가면 도움을 청할 생각이었어. 가끔 차가 한두 대 지나갔지만 멈추질 않더라고. 너무 추워서 얼어 죽겠구나, 싶을 때쯤 주리가 나타난 거지. 그런데 갑자기 어쩐 일이지? 내가 여기 있는 걸 알고 온 건가?"

그의 눈빛이 의혹으로 흔들렸다. 가슴이 아려왔다. 말로는 도저히 설명할 수 없는 상황이었기 때문이다.

나는 그의 말에 대답하는 대신 깊은 생각에 잠겼다. 나를 그가 있는 곳으로 이끈 힘은 무엇이었을까. 그에게 오지 않고는 견딜 수 없도록 내 등을 떠민 것은 무엇이었을까. 우연이라는 말로는 도무지 설명이 되지 않았다. 살면서 그런 일이 몇 번이나 일어날 수 있을까? 일생 동안 겨우 한 번쯤 있을까 말까 한 일이 우리에게 일어난 것이다. 어쩌면 그것은 우주 먼 곳으로부터 날아든 필사의 신호를 감지해내듯 내 몸의 안테나가 그의 간절한 신호를 잡아챈 것인지도 몰랐다.

그가 팔짱을 낀 채 의자 뒤로 고개를 젖혔다. 그러고는 영 뜨지 않을 것처럼 눈을 감아버렸다. 나는 그가 안정을 되찾도록, 그래서 스스로 입을 열 때까지 기다렸다.

그렇게 얼마간 시간이 흘렀을 때 종업원이 다가와 갓 내린 커피를 그의 잔에 부었다. 그 바람에 그가 자세를 고쳐 앉았다. 나는 따듯한 커피 잔을 그의 손에 쥐어주었다.

그동안 무슨 일이 있던 걸까. 무엇이 이 사람을 이렇게 망가뜨렸을까. 나는 궁금했지만 잠자코 기다렸다. 그가 자기를 이겨낼 수 있을 때까지, 그래서 내게 말을 걸 때까지 끝까지 기다릴 참이었다.

새벽이 다가올수록 밖은 더욱 캄캄해졌다. 카페 유리창에 우리 두 사람의 모습이 거울처럼 비쳤다. 나는 창에 비친 그의 모습을 바라보았다. 그는 간간히 내 쪽을 보다가도 이내 고개를 돌렸다. 그렇게 앉아 밤을 보내고 동이 트려는지 어둠이 묽어질 무렵이었다. 그가 마침내 말을 꺼냈다. 조금은 가라앉은 목소리였다.

"그날, 기억해요?"

나는 그에게로 고개를 돌렸다.

"우리 집에 오기로 한 날 기억해요? 그날…… 사고가 났어요."

"네?"

나도 모르게 놀라서 소리를 친 것 같다.

"집으로 가다가 교통사고를 냈어요."

"어쩌다……"

나는 깜짝 놀라 더는 말이 나오지 않았다.

"눈앞이 또 보이지 않았어요."

그와의 뉴욕 여행길이 퍼뜩 떠올랐다. 터널 안에서 앞이 보이지 않는다고 했었다.

"병원에 실려가 여기저기 검사를 했지만 크게 다친 건 아니라는데."

그가 내 시선을 회피했다. 그러고는 다시 고개를 꺾어 천장을 바라보았다. 나는 그가 마음을 가라앉히도록 내버려두었다.

"내 눈이 문제래요."

나도 그처럼 앞이 캄캄해졌다. 그가 뒷말을 안 해도 무슨 말인지 알 것 같았다. 가슴이 먹먹해서 숨이 잘 쉬어지지 않았다. 몇 번인가 숨을 몰아쉬었을 때 그가 테이블 위로 손을 뻗어 내 두 손을 그러잡았다. 몸의 온기가 돌아온 듯 그의 손이 따듯해져 있었다. 그러더니 손을 잡은 채로 말을 이어갔다.

"시력을 잃어가고 있대요."

마치 남의 일처럼 말하고 있었다. 나도 모르게 눈물이 왈칵 쏟아져 눈물을 닦으려 했지만 그가 잡은 내 손을 놔주지 않았다.

"괜찮아요. 나도 처음에는 견디기 힘들었는데 이제 좀 익숙해졌어. 받아들이려고 해요."

"큰 병원을 가야죠. 함께 가서 자세히 검사를 받아 봐요."

그는 고개를 저었다.

"이 도시에서 가장 유명하다는 의사에게 찾아갔어요. 내 망막에 문제가 있다고, 실명할 거라네요."

그는 고통스러운 듯 입술을 잘근거리며 씹었다. 그러더니 이내 담담하게 말했다.

"그간 증세가 없던 건 아니었는데 내가 무심했던 거지. 밤에 운전할 때는 눈부심이 심했고 어두운 곳에서는 무언가를 보는 게 답답하기도 했어요. 하지만 어려서부터 눈을 혹사해서 그런 거라고, 쉬면 괜찮겠지, 생각했는데."

"대체 병명이 뭐래요?"

"급성망막색소변성증이라고, 나도 처음 들어봤어요."

"요즘 같은 시대에 못 고치는 게 어디 있어요."
목이 잠긴 탓에 목소리가 갈라져 나왔다.
"망막 이식 같은 것도 알아봤어요?"
그가 체념한 듯 고개를 저었다.
"각막은 이식되지만 망막이나 안구 자체는 이식이 불가능하대요."
"그럼 지금은 어떤 상태죠? 내가 보여요?"
온몸이 떨려 왔다. 갑자기 닥친 그의 불행이 믿어지지 않았다.
"자세히 말해봐요. 지금 내가 어떻게 보여요?"
"어두운 곳에 동전만 한 작은 구멍이 뚫려 있는 것 같아요. 그 구멍으로 당신 얼굴이 보이긴 하지만 초점을 맞추기가 쉽지 않아."
"갑자기 왜 그렇게 된 거죠?"
"유전됐을 가능성이 있다는데, 이해가 안 돼요. 우리 가족 중에 시력 잃은 사람이 없는데. 어쩌면, 어머니 말을 안 들어서 이렇게 된 건지도 모르지."
그가 씁쓸하게 웃었다.
"어렸을 때 어머니가 그러셨어요. 태양을 맨눈으로 보

지 말라고. 하지만 나는 어머니 몰래 자주 태양을 바라보았어요. 아니, 그뿐 아니라 태양과 눈씨름을 한 적도 있지. 태양 속에 무엇이 있는지 궁금해 견딜 수 없었거든. 너무 눈부셔 결국 눈을 감아버렸지만 어쩌면 지금 그 벌을 받고 있다는 생각이 들어요."

우리는 다시 말을 잃었다. 그동안 하늘은 환해졌고 창밖 거리에선 차들이 제법 지나다녔다. 밤새 한가하던 카페에 이른 아침 식사를 위해 사람들이 몰려들 때쯤 우리는 그곳을 나와 그의 아파트로 돌아왔다.

밤새 문이 잠겨 있지 않았지만 그렇다고 누가 들어온 것 같진 않았다. 그의 집은 방 두 칸짜리 아파트였다.

침실과 나란히 붙어 있는 방을 서재로 쓰고 있었다. 삼면의 벽을 따라 놓인 책장에는 책이 가득했다. 책장에 꽂히지 못한 책은 바닥에 쌓여 있었다. 방의 중앙에는 커다란 책상과 의자 하나가 놓여 있었다. 방은 어두컴컴해서 낮에도 불을 켜야 했다. 책장 뒤로 빛이 희미하게 새어 들어오는 걸로 보아 책장이 창문을 가리고 있는 듯 보였다.

그리 넓지 않은 거실에는 나무로 만든 테이블을 사이

에 두고 두 명 정도 앉을 수 있는 소파와 안락의자가 마주 놓여 있었다. 소파 뒤편의 벽에 붙은 그림이 내 시선을 붙잡았다. 언젠가 그가 말한 이상의 초상화였다. 붓의 터치나 질감은 거칠었지만 의외로 인물이 살아 있었다. 음울하면서도 장난스러운 눈빛으로 시니컬하게 세상을 바라보는 이상의 모습이었다. 내가 이상의 초상화 앞을 떠나지 못하고 있을 때 그가 내 곁으로 다가왔다.

"구본웅 화백의 그림을 흉내 냈지."

그는 내 팔을 잡아끌어 나를 자기의 안락의자에 앉혔다.

"난 여기 앉아 저 그림 보는 걸 좋아해요. 제비다방에 앉아 있는 기분이 들거든."

그의 말대로 푹신한 안락의자에 앉으니 이상의 초상화가 정면으로 보였다. 나는 의자 깊숙이 몸을 눕혔다. 하룻밤 사이에 얼마나 많은 일들이 있었는지, 마치 꿈속의 일 같았다. 그때 그가 내 무릎에 담요를 덮어주며 말했다.

"한숨 자요. 자고 나면 정신이 맑아질 거야."

그는 더듬거리며 거실 창 앞으로 다가갔다. 그리고 블라인드를 내려 빛을 차단한 뒤 안경을 벗어 테이블 위에 올려놓고는 내 앞의 소파에 몸을 웅크리고 누웠다.

추위와 피로에 지쳤던 탓인지 그는 눈을 감고서 미동도 하지 않다가 이내 고른 호흡으로 잠이 들었다. 나는 어둠 속에 혼자 깨어 내 눈앞에 놓인 현실을 바라보았다. 변덕을 부리는 운명 앞에서 내가 할 수 있는 일은 없었다. 그저 내 모든 지혜를 짜내어 오늘을 살아내는 것. 내일의 걱정까지 떠안을 여력이 내겐 없었다. 위태롭게 흔들리는 배에 몸을 싣고 폭풍이 가라앉기를 기다리는 상황이었지만 그렇다고 절망스럽진 않았다. 아무리 거센 폭풍도 언젠가는 잠잠해질 것이라는 걸 알고 있기 때문이다.

한 시간쯤 흘렀을 때 그가 몸을 뒤척이더니 잠에서 깨어났다. 내가 더 자라고 말했지만 그는 자리에 누워 고개만 저었다. 그러고는 잠이 묻은 목소리로 내게 말했다.

"그거 알아?"

그가 잠깐 틈을 둔 뒤 말을 이었다.

"시간을 되돌리고 싶어. 당신을 만나기 전의 시간으로."

나는 어둠 속에서 그의 말을 가만히 듣고만 있었다.

"그랬다면 당신을 붙잡지 않았을 거야. 그저 길을 비켜

주었겠지. 나를 스쳐 지나가도록. 아쉬워서 가슴이 저릿해도 돌아보지 않았을 거야."

우리 둘 사이에 불안한 정적이 파고들었다. 그 정적을 견디지 못하고 내가 나직이 한숨을 내뱉자 그가 반응했다.

"나는 곧 장님이 될 거야. 지금도 책 한 줄 읽는 게 너무 힘들어. 확대경을 갖다 대야 고작 몇 줄 읽을 수 있을 정도니까. 이렇게 함께 추락할 수는 없어."

그가 이별을 말하고 있었다. 덤덤히 말하고 있었지만 그의 얼굴에서 고통이 느껴졌다.

"나도 당신이 필요해요."

신음처럼 새어나온 내 말에 그가 벌떡 일어나 앉았다.

"안 돼. 나 한 사람의 불행으로 충분해요. 당신이 장님의 아내가 되어 내 아이를 키우며 살 자신이 있나? 현실은 생각보다 혹독한 법이지."

차갑고 단호한 말투였다. 하지만 나는 물러설 수 없었다.

"이기적으로 도망치지 말아요. 당신이 사라진 뒤에 알았어요. 당신이 없으면 나도 없다는 걸요!"

나도 모르게 눈물이 왈칵 쏟아졌다. 그 몇 달 동안의

의문과 오해와 절망이 한꺼번에 녹아내린 눈물이었다. 흐느끼는 내 울음소리에 그의 어깨가 따라 들썩였다. 감정이 치받힌 듯 몇 번인가 숨을 거칠게 몰아쉬더니 감은 눈 밑으로 눈물이 길게 흘렀다. 울음이 터지려는 걸 겨우 참고 있는 듯했다. 나는 그의 가슴에 달려들어 얼굴을 묻었다.

"울어요. 실컷 울어요. 지금 다 울어버려요."

나는 격앙되어 목소리가 올라갔다. 그의 입에서 울음이 새어 나왔다. 높낮이가 없이 긴 울음이었다. 그 울음소리에 가슴이 찢기는 듯 아파왔다. 하지만 나는 그가 울도록 내버려두었다. 곪은 상처는 터뜨려야만 다신 덧나지 않는 것처럼 눈물이 마르기 위해선 울고 또 울어야 했다.

한동안 계속된 울음 끝에 그의 얼굴에서도 눈물이 점차 말라갔다.

"빛이 사라지면 당신도 사라질까 봐 두려웠어."

그렇게 말하는 그의 얼굴에 흐릿한 미소가 번지고 있었다.

나는 뾰족지붕의 집을 떠나 그의 아파트로 거처를 옮

겼다. 특별할 것 없는 평범한 일상이었지만 둘이어서 행복했다. 마치 극이 다른 자석처럼 나는 그를 원했고 그도 나를 찾으며 서로에게 종일 집중했다. 신경이 예민한 그는 잠자다가도 나를 더듬어 확인하곤 안도의 미소를 지었다.

우리는 서둘러 미국에서의 생활을 정리했다. 그간의 사정을 전해 들은 엄마가 너무 걱정한 탓에 이른 귀국을 결정한 것이다.

그의 서재를 가득 채웠던 책들은 동네의 도서관으로 기증되었고 세간살이는 재활용품점으로 보내졌다. 덕분에 짐은 가방 몇 개로 줄어들었다.

보스턴을 떠나기 전날, 우리는 저녁 시간에 맞춰 함께 뾰족지붕의 집을 방문했다.

차를 세우고 집으로 들어가려는데 B교수가 문을 열고 나왔다. 한 번도 본 적 없는 잿빛 사제복 차림이었다. 그가 내게 다가오며 가볍게 목례를 했다. 그러고는 종교 행사가 있어 나가는 길이라며 자기도 곧 서울로 돌아간다고 빙그레 웃음을 지었다. 그가 신학대학교의 교수인 줄만 알았지, 사제라는 건 상상조차 못했다. 더구나 내게 선선한 웃음까지 보이다니! 그런 그의 모습이 낯설었다. 어정쩡하게 서서 그와 눈이 마주쳤을 때 나는 흠칫거렸다. 파충류 같던 눈동자의 초점이 정확히 나를 향해 있었다. 그 순간, 한 가지 생각이 머릿속을 훑고 지나갔다. 그가 왜 나를 그토록 피했는지 그때서야 의문이 풀린 것이다. 그는 사제 복장 안에서만 자유로울 수 있는 사람이었다. 사제의 복장을 갖추고 있지 않으면 자기의 맹목적인 욕구가 튀어나올까 불안했고 시험에 들지 않기 위해 스스로 제 눈에서 초점을 지워버린 것이었다.

우리는 준비해간 와인으로 석별의 정을 나누었다. M은 뾰족지붕의 집 뒷마당을 그린 수채화 한 점을 이별 선물로 내게 주었다. 그 그림 속에는 새집이 얹혀 있는 뽕나무와 뒷마당을 스쳐가는 두 칸짜리 기차 그리고 작은 시내와 숲이 담겨져 있었다.

나는 엘몬에게 새로 나온 레고 블록을 선물했다. 그리고 선물의 보답으로 아이에게 첼로 연주를 청했다. 처음에는 거부하던 아이가 포장을 풀어 선물을 확인하더니 슬그머니 첼로를 가져와 연주하기 시작했다. 그동안 아이의 첼로 소리는 많이 풍성해져 있었다. 아이는 악보도 없이 전 악장을 연주했다. 아이의 연주를 듣고 모두가 갈채를 보냈다. 하지만 아이는 별것 아니라는 듯, 어깨를 한 번 으쓱한 뒤 제 방으로 통통 뛰어 들어갔다.

그것 외에도 소소한 변화가 있었다. MIT와 유미가 공식적으로 연애를 한다는 소식과 더불어 버클리도 연인이 있음을 고백했지만 구체적인 이야기는 하지 않았다. 그동안 바싹 밀고 다니던 그의 앞머리가 길게 자라 배추벌레 같은 눈썹을 가리고 있었다. 다부져 보이던 강한 인상이 머리 스타일 때문인지 수수하고 차분하게 보였다. 그때 나와 눈이 마주친 미도리가 비밀이라도 들킨 것처럼 그 특유의 반달눈으로 생글거렸다.

18

L의 노트 9

이상의 사후, 지나온 반세기는 나에게도 격동의 시대였다. 일본이 패망하여 물러간 뒤 정부 수립 과정은 혼란의 연속이었으며 그 후 벌어진 동족 간의 전쟁은 끔찍하였다. 그때 대부분의 사람들처럼 K와 나는 가난하였고, 불행하였다.

그런 와중에도 K는 끊임없이 새로운 화풍을 시도하며 전시회를 열었다. 그림은 단 한 점도 팔리지 않았다. 그는 홍익대학교 미술대학 학장으로 학생들을 잠시 가르치기도 하였지만 그도 이상처럼 더 넓은 세계를 경험하고 그

속에서 자신의 위치를 알고 싶어 하였다.

'뜻을 세우면 길이 열린다'고 하였던가. 우리는 프랑스로 가게 되었다. 프랑스에서 가난에 시달리면서도 유럽의 화단에서 인정받기 위하여 부단히 노력하였다. 하지만 쉬운 일은 없었다. 파리의 노련한 화상들은 동방의 작은 나라에서 온 가난한 화가의 그림 값을 제대로 쳐주려 하지 않았다. 결국 우리는 파리를 떠났고 뉴욕에 정착하게 되었다.

목 디스크에 시달리면서도 종일 고개 들 틈도 없이 작은 아파트에서 그림 그리는 것에만 매달리던 K는 마침내 그만의 화풍을 완성시켰다. 점과 선으로 그려진 그림들이었다. 그의 그림을 사려는 화상들의 발걸음이 잦아졌고 그림 값도 치솟았다.

하지만 고생만 실컷 하고 그 무렵 K도 나를 떠났다. 그가 어이없는 사고로 세상을 등지고 만 것이다. 그러나 나는 주저앉지 않았다. 아니, 주저앉을 수 없었다고 해야 옳을 듯하다. 그가 이루지 못한 꿈이 있었기 때문이다. 그는 자기의 대작들을 상용 전시할 수 있는 공간을 절실히 원했다. 나는 그를 위해 세계 어느 곳에 내놓아도 부끄럽지 않은 미술관을 세우겠다고 다짐하였다. 그동안 프랑스와 미국을 오가며 세계적인 박물관과 미술관들을 다닌 것이 미술관 설계에 적잖이 도움이 되었다.

수년간의 고생 끝에 마침내 인왕산 자락에 K의 이름이 걸린 미술관이 완공되었다. 국내 최초의 개인 미술관이었다. K와 내가 오랜 세월 꾸던 꿈이 마침내 현실이 된 것이다. 나는 그때서야 오래도록 어깨를 누르던 묵직한 짐을 비로소 내려놓을 수 있었다.

한때 내게도 소설가의 꿈이 있었지만 나는 천재 화가의 조력자가 되기 위해 내 꿈을 접었다. 오직 K의 그림이 세계적으로 인정을 받도록 마음 졸이며 견디던 인고의 날들. 그런 삶은 나를 성숙시켰다. 나는 그 속에서 이상을 이해하였고 용서할 수 있었다.

화가 K가 세상을 떠난 후 나는 내가 이상과 공유했던 날들의 이야기를 세상에 내어놓으려고 마음먹었다. 하지만 시간이 많이 흘렀음에도 나에 대한 사람들의 의혹은 사라지지 않았다. 그들은 무례하였다. 심지어 내가 이상의 소설 〈종생기〉의 모델이 아니라는 예를 들어 달라는 말도 들었다. 내 가슴을 열어 속을 보여줄 수도 없는 일이었다. 나는 더 이상 이상에 대한 언급을 피하였다.

이제 나는 늙었다. 투쟁하듯 살아온 내 질긴 생은 이상이나 K, 심지어 내 어머니의 생보다 길었다. 하지만 나도 곧 내가 웃고 울던, 그리고 잠깐이나마 행복을 누렸던 이생의 무대에서 영영 사라질 것이다. 내 기억이 더 흐릿해지기 전에 이 노트를 마치게 되어 다행이다. 이 노트가 나의 사후에 누군가에게 읽혀지든 버려지든 그것은 내 알 바가 아니다. 나는 다만 혼란의 시대에 태어나 자기의 본모습이 아닌, 거울 속에 비친 그의 모습으로 오해 받던 천재의 불행을 위하여 그리고 그와 함께 보낸 시간에 대하여 예의를 갖추고 싶었을 뿐이다.

해학과 농담을 사랑하였던 이상은 필명 '이상'의 유래에 대하여 사람마다 다르게 말하였다. 그 때문에 누구는 '이상'의 시작이 구본웅이 준 오얏나무 사생 상자李箱에서 비롯되었다고 말하였고 또 누구는 이 씨의 일본말인 '이상李さん'에서라고 하였다. 그가 혼란을 부추겼던 것이다. 그는 내게도 비밀이라며 높은 '이상理想'이 그럴듯하

여 차용하였다고 알려주었지만 그것이 무슨 상관이랴. 우리 모두 이상의 농담에 휘말리고 만 것을. '이상'이란 필명을 놓고 의견이 분분한 우리를 보며 그는 하늘에서 무슨 생각을 할까. 킬킬거리는 그의 웃음소리가 아직도 귓가에 생생하다.

19
우리들의 십자가

——————— 고층 빌딩이 즐비한 서울의 광화문에서 북악산 쪽으로 방향을 틀면 가까운 거리에 시간이 비껴간 듯 옛 한옥들이 옹기종기 모여 있는 곳이 나온다. 미로처럼 연결된 좁은 골목길을 따라 검은색 기와지붕들이 처마를 잇대고 있는 곳이 내가 태어나고 자란 동네다.

그 동네의 막다른 골목길에 추녀가 유난히 긴 집이 있다. 추녀의 끝은 곡선으로 위를 향해 가볍게 들려 있다.

나무 대문을 밀면 삐걱대는 소리가 고요한 집 안을 깨운다. 백 년의 세월에 중문을 받치고 있는 나무 턱은 부드럽게 닳았다.

작은 안마당에는 봄볕이 내려앉아 환하다. 마당 구석의 장독대 위에 놓인 장독들은 나보다도 먼저 세상에 태어났다. 뚜껑이 열린 장독에 얇은 망이 덮여 있다. 독 안에서는 정월 장이 바람과 볕을 쐬며 발효되는 중이다.

엄마는 아직도 장을 직접 담근다. 가을에 콩이 나오면 메주를 쑤어 적당한 크기로 빚어 띄우고 말려두었다가 날을 잡는다. 추위가 가시지 않은 음력 1월 중에서 손 없는 날을 택해 장을 담그는 것이다.

그날이 오면 엄마는 문밖 출입을 하지 않는다. 혹시라도 액운이 따라 들어와 장맛을 망칠까 방비하는 것이리라. 일찌감치 일어나 정갈하게 몸단장을 하고 무명천 앞치마에 머리 수건까지 두르고 나면 그때서야 재료 손질이 시작된다. 말도 꼭 필요한 게 아니면 삼가며 신중하게 행동하는 엄마의 모습은 자못 경건하기까지 하다. 엄마는 윗대의 어른들로부터 내려온 장 담그는 법을 고수한다.

잘 띄운 메주에는 누룩곰팡이가 꽃처럼 피어 있다. 엄

마는 메주의 곰팡이를 솔로 닦아 씻을 때마다 "곰팡이가 펴야 장맛이 좋다"고 혼잣말을 한다. 그 말이 내겐 주술처럼 들린다. 메주의 물기가 마르는 동안에 소금물의 염도를 맞추어놓는다. 볕이 좋으면 메주는 금방 마른다. 메주의 물기가 완전히 마르면 독 안에 담고 소금물을 붓는다. 대추 몇 알과 마른 고추를 함께 넣는다. 고운 빛깔과 장의 단맛을 내기 위해서다. 거기에 숯을 넣고 메주가 뜨지 않도록 대나무를 눌러놓으면 장 담그기가 마무리된다. 한 해 동안 식구들이 먹을 된장과 간장이 그렇게 만들어지는 것이다.

한때 십여 명의 식구가 엄마의 밥을 먹었다. 하지만 가족 구성원이 단출해진 지금도 엄마는 장 담그기를 포기하지 않는다. 어린 아들을 교통사고로 잃고 넋이 나간 듯 앉아 있다가도, 암으로 죽은 남편을 땅에 묻고서도 장 담글 때가 오면 묵묵히 그 일을 해내는 것이다. 해마다 이 일을 반복하는 엄마에게 장 담그기는 무슨 의미가 있는 걸까.

나는 작은방 툇마루에 앉아 발밑의 댓돌을 보고 있다. 화강암으로 만들어진 댓돌은 날카로운 모서리가 없어진

지 오래다. 댓돌의 모서리가 닳도록 이 집을 드나들던 사람들은 다 어디로 갔을까. 교자상 두 개를 붙여놓아도 앉을 자리가 비좁던 밥상머리의 가족들은 다 어디로 갔을까. 그들의 웃음소리와 무성하던 화제들은 다 어디로 갔을까. 이 집에서 태어나고 자라 한 나라의 왕조가 몰락하는 것과 일본의 침탈을 무참하게 바라보아야 했던 사람들. 그들은 일본이 망하면서 잠시 해방의 기쁨을 누렸지만 다시 전쟁의 소용돌이에 휘말려 삶과 죽음의 사이를 오갔었다. 그 와중에도 살아남아 집을 지켰던 가족들은 모두 어디로 갔을까. 집 안은 무척이나 조용하다.

내가 몇 년 동안의 외출을 마치고 그와 함께 집으로 돌아와 이 댓돌 앞에서 "엄마" 하고 부르자, 안방의 미닫이문이 열리며 관절을 앓고 있는 엄마가 한달음에 달려 나왔다. 내가 돌아온 것에 대해 기쁨 반, 걱정 반이었던 엄마. 그러나 나는 엄마의 품을 떠나면서 비로소 어른이 되었다. 세상에는 걱정한다고 달라질 게 별로 없다는 걸 알아버린 것이다.

누군가 태어나고 죽는다 해도 지구는 눈 한 번 깜짝하지 않고 여전히 정확한 궤도를 돈다. 그러면서 다만 우리에게는 시간을 준다. 그 시간이란 어느 누구에게는 백 년 같은 일 년이고 또 어느 누구에게는 일 년 같은 백 년이 될 것이다. 시간이란 그것을 쓰는 사람에 의해 길이가 늘어나기도 줄어들기도 하는 거니까.

그는 시력을 잃었고, 나는 학위를 포기했지만 그렇다고 우리의 소소한 행복까지 없어진 것은 아니다.

방의 창문을 열면 창이 액자가 되어 능금나무가 있는 뒷마당의 풍경이 담긴다. 능금나무 가지 끝에 분홍이 번진 하얀 꽃이 올망졸망 매달렸다. 내가 창밖을 보며 능금나무에 꽃이 피었다고 하자 능금 맛을 궁금해하며 그는 벌써부터 가을을 기다린다. 나는 그가 아기 주먹만큼 작고 앙증맞은 능금을 한 입 베어 무는 상상을 한다. 나처럼 그도 능금의 새콤함에 진저리치며 눈을 찡그릴 것이다.

내가 번역 일을 하고 있을 때면 그는 내 곁에서 책을 읽는다. 점자로 된 책이다. 차츰 익숙해져 처음보다 읽는 속도가 붙고 있다.

그는 요즘 들어 시야가 부쩍 줄어들었다. 겨우 연필 굵기만 한 구멍이 그가 볼 수 있는 전부다. 머잖아 그의 시야에는 캄캄한 어둠만이 들어찰 것이다. 어느 정도의 시련은 예상되지만 그렇다고 어둠에 무릎 꿇을 필요는 없다. 내가 곁에서 그의 흰 지팡이가 되어줄 것이므로.

하버드대학의 박사 학위로 평탄한 앞날이 보장된 길을 걷지 않고 자신의 삶을 기꺼이 실험대 위에 올려놓았던 사람, 그는 자기 안의 천재성을 알고 있었을까.

나는 문득 L의 노트를 기억해냈다. 그녀 역시 나처럼 평범하지 않은 남자를 만나 쉽지 않은 길을 선택했지만 운명의 소용돌이 앞에서 이상을 오해하고 그를 떠났다. 묘주에게 잊힌 이상의 무덤은 전쟁을 거치며 흔적도 없이 사라져버렸고, 누구도 지켜내지 못한 이상이라는 천재는 그렇게 박제가 되어 이십일 세기를 사는 우리 곁에 신화로 남았다.

이상의 이십칠 년이 천재가 완성되고 소멸되기에 충분한 시간이라고 했던 L의 말은 멋진 수사에 불과하다는 생각이 든다. 삶에서 가장 중요한 것은 어떻게든 살아남는 것. 저마다의 십자가를 지고서라도 자기에게 주어진 삶을 충실히 살아내야 한다. 살아 있어야만 희망을 볼 수 있기 때문이다.

작가의 말 ———

내 안의 '나'에게 묻는다
사랑이란 무엇인가?

사람들에게는 저마다의 '속집'이 있다. 몸의 주인만이 들어갈 수 있는 곳. 어두워지면 꽃잎을 오므리는 꽃처럼 나는 외롭고 지칠 때 스스로 그 속으로 침잠해 들어간다. 그곳에서만큼은 키가 자라면서 덧입게 된 형식과 예의를 벗어던져도 좋다. 아무런 말이 없어도 상관없다. 그저 가만히 혼자 있는 자신을 즐기다 보면 아이처럼 눈이 밝아져 사람의 마음이 보이고 먼 기적 소리까지 끌어모을 만큼 귀가 열린다. 신경을 할퀴던 내 안의 뾰족한 가시들도 바람에 누운 갈대처럼 부드러워진다. 내면이 편안해져 모든 감각이 잠잠해질 때면 내 안의 사람이 내게 말을 건다. 사람의 상처, 번민, 고통, 기쁨과 슬픔의 파편들도 살아 있어 느끼는 거라고. 다 괜찮아질 거라고. 그럼에도 불구하고 사랑하라고.

우연히 K미술관을 들렀다가 이상의 아내였던 L, K의 아내였던 A가 동일인임을 알게 되었다. 그녀는 한 시대를 풍미했던 두 명의 천재 예술가를 품은 여자였다. 그 여자에 대한 궁금증이 너무 강렬히 일었다. L에게 이상은 어떤 사람이었을까. 어떻게 이상을 흙에 묻고 다시 K와 맺어졌을까. 냉철한 성격의 L이 바라본 천재들의 민낯은 어떠했을까. 천재들은 대부분 균형이 깨진 사람들 가운데 있었다.

내 주변에도 천재는 있다. 그는 아이큐 160으로 일찍이 하버드대학을 졸업했고 주변 사람들의 기대대로 얼마간의 사회적인 성공을 거두었다. 재물과 명예를 갖게 된 것이다. 그러나 그에게는 치명적인 문제가 있었다. 한 가지 생각에 꽂히면 다른 것을 모두 잊고 마는 것. 운전을 하다가도 한 가지 생각에 꽂히면 신호를 어기기 일쑤였다. 여러 번의 큰 사고 끝에 그는 나이 마흔도 되기 전에 운전면허를 자진 반납해야 했다. 그의 돌발적인 행동에 결혼 생활은 안정적이지 못했고 건강을 소홀히 한 탓에 여러 병원을 전전한다는 소문도 돌았다. 어느 날 그가 내게 물었다.

"삶에서 가장 중요한 게 뭐라고 생각해요?"

그의 눈빛은 초조했고 말소리는 쓸쓸했다. 그간의 성공에 대한 만족이나 기쁨이라고는 찾아볼 수 없었다.

그 물음은 종일 머릿속에서 떠나지 않고 맴돌았다. 사랑, 명예, 가족, 재물, 건강 등 여러 대답이 솟아났으나 그 무엇도 만족스럽지 않았다. 사랑 타령하다가 주변 사람을 잃거나 명예를 쫓다가 적을 만들고 재물을 탐하다가 건강을 잃어버리는 것을 수없이 보아왔다. 결국 또 균형이라는 대답만이 남는다. 모든 것에 균형을 잃으면, 즉 한쪽으로 치우치면 분명 그 대가를 치를 것이었다. 천재 이상 역시 자의식의 과잉으로 자신을 학대하여 스스로 죽음으로 몰아갔다.

천재 이상뿐 아니라 우리 역시 도피할 수 없는 현실 세계나 죽음에 대한 불안과 두려움을 껴안고 산다. 거기에 과거의 상처까지 무겁게 매달려 있다. 그럼에도 불구하고—이 말에는 조건이 담겨 있지 않다. 무조건이다. 무조건이란 어머니의 마음이며, 테레사 수녀의 마음이다. 거기까지 다다르기 위해 까치발 세우고, 팔을 만만세로 뻗어보아도 내겐 늘 위태로운 말이다. 그럼에도 불구하고—나는 기꺼이 눈물을 삼키며 나의 고통에서 타인의 고통을 본다. 그곳에 인간이 있고, 세계와 우주가 있다. 고통은 은유의 강을 건너며 심미적으로 치환되어 연민으로 또는 사랑으로 타인에게 번진다.

번진다. '번짐'이란 단어가 주는 느낌은 따스하다. 환하고 넉넉하다. '번짐'에는 대상이 있다. 그 대상의 폭이 의외로 넓다. 내 가족, 내 친구, 내 고향……. '나'와 관계된 것들의 유대 관계에 집착하는 이 시대 사람들의 이기심을 걷어내고 번져가면 비로소 모든 경계가 허물어진다. 흙 속에 심긴 씨앗의 시간이 번져 꽃이 되고 열매가 된다. 삶과 죽음조차도 서로 번져서 삶이 죽음이 되고, 죽음은 삶을 이어주는 토양이 되기도 한다. 모든 관계의 화해를 의미하는 말이다. 너와 내가 스미고 번져서 마침내 합체되는 것. 그것은 사랑이다. 그 사랑은 에로스여도 좋고, 아가페여도 좋겠다. 그 무엇이든 사랑일 수 있다면, 생명일 수 있다면. 어쩌면 그것이야말로 내가 이 소설을 쓴 진짜 이유인지도 모르겠다. 나도 네게로 스며들어 번지고 싶기 때문이다.

증언을 생생히 고증하기 위해 L의 수사 몇 구절이 소설 중 'L의 일기'에 차용되었다. 글을 마치려니 문득 감사한 일이 넘친다. 곁에서 나를 지켜준 내 영혼의 동반자와 소중한 친구들, 서울의 재동 37번지에서 태어나 인고의 세월을 견디고 마침내 대가족으로 번진 가족들, 그리고 소설을 책으로 엮어준 도서출판 작가에 고마움을 전한다.

이 도서의 국립중앙도서관 출판시도서목록(CIP)은 e-CIP 홈페이지
(http://www.nl.go.kr/ecip)에서 이용하실 수 있습니다.
(CIP 제어번호 : CIP2020001657)

천재들의 초상

2020년 3월 10일 초판 1쇄 발행
2020년 8월 20일 초판 2쇄 발행

지은이 | 김채령
펴낸이 | 孫貞順
펴낸곳 | 도서출판 작가
(03756) 서울 서대문구 북아현로6길 50
전화 | 02)365-8111~2 팩스 | 02)365-8110
이메일 | morebook@naver.com
홈페이지 | www.morebook.co.kr
등록번호 | 제13-630호(2000. 2. 9.)

편집 | 손희 양진호 설재원
디자인 | 오경은 박근영
영업 | 박영민
관리 | 이용승

ISBN 979-11-90566-01-8 03810

값 13,000원